RICHELIEU INTERNATIONAL

# DON
## DU
### CLUB RICHELIEU ST-LAMBERT

# LA PLANÈTE
# DES HOMMES

# LA PLANÈTE DES HOMMES

Nick Middleton

HACHETTE
*Jeunesse*

**Adaptation française:**
**Marina et Serge Zolotoukhine**

© Hachette, Paris - 1989 pour l'édition française
© 1988, Ilex Publishers Limited

Photo de couverture: Explorer/Jean-Paul Nacivet.

# Sommaire

# 1 Monde géophysique

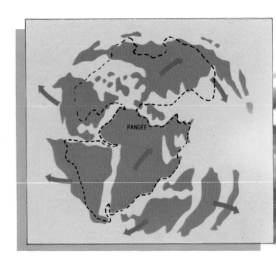

La Terre est recouverte d'eau à 70 %. Les océans et les terres émergées reposent sur la croûte terrestre, qui se compose d'un certain nombre de plaques flottant sur un magma de roches en fusion appelé « manteau ».

Ces plaques sont en constant mouvement, et leurs lignes de jonction déterminent des zones d'activité sismique : volcans et tremblements de terre (voir ci-dessous Indonésie et Japon). Au fond des océans, lorsque deux plaques s'écartent, le magma remonte et forme une crête ; lorsqu'elles se heurtent, une fosse se crée là où elles glissent l'une sur l'autre. Lorsque la collision se produit à la surface, l'une des plaques se froisse sur la ligne de fracture, formant une chaîne de montagnes. Ainsi apparut l'Himalaya, la plus haute chaîne du monde, due au choc des plaques indienne et eurasienne (voir ci-dessous).

## La dérive des continents

Il y a 200 millions d'années, nos actuels continents ne formaient qu'un seul bloc géant appelé « Pangée » (en haut). Cette masse originelle se brisa en deux parties qui se mirent à dériver. Par la suite, d'autres se détachèrent, et l'Inde glissa vers l'Asie (au centre). Actuellement, la plaque indienne a rejoint l'Asie et poursuit son chemin vers le Nord. Les bords des deux plaques se sont plissés lors de leur collision, formant l'Himalaya (en bas).

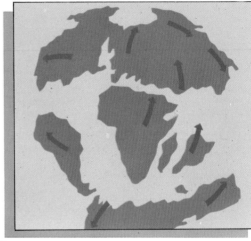

Everest
Chaîne de l'Himalaya
Plaque indienne
Croûte terrestre
Plaque eurasiatique
Plaque des Philippines

 Volcan en activité

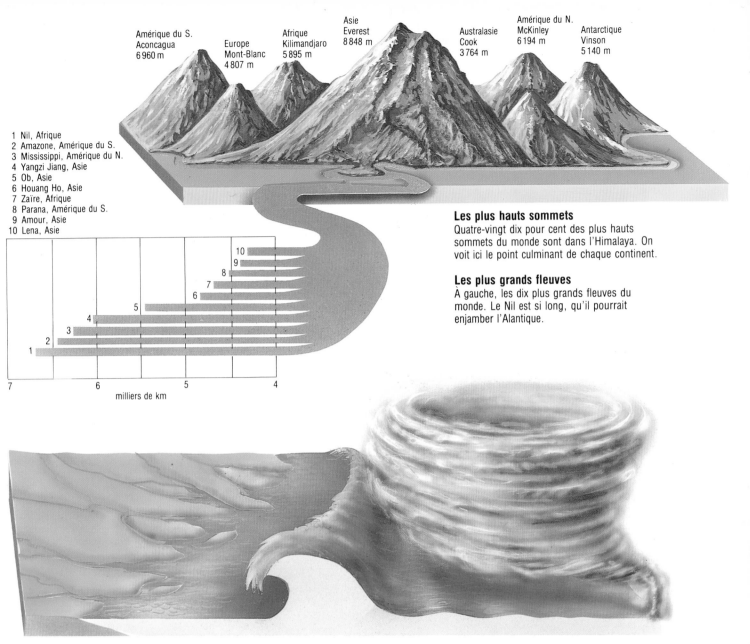

Amérique du S.
Aconcagua
6 960 m

Europe
Mont-Blanc
4 807 m

Afrique
Kilimandjaro
5 895 m

Asie
Everest
8 848 m

Australasie
Cook
3 764 m

Amérique du N.
McKinley
6 194 m

Antarctique
Vinson
5 140 m

1 Nil, Afrique
2 Amazone, Amérique du S.
3 Mississippi, Amérique du N.
4 Yangzi Jiang, Asie
5 Ob, Asie
6 Houang Ho, Asie
7 Zaïre, Afrique
8 Parana, Amérique du S.
9 Amour, Asie
10 Lena, Asie

milliers de km

### Les plus hauts sommets

Quatre-vingt dix pour cent des plus hauts sommets du monde sont dans l'Himalaya. On voit ici le point culminant de chaque continent.

### Les plus grands fleuves

À gauche, les dix plus grands fleuves du monde. Le Nil est si long, qu'il pourrait enjamber l'Alantique.

### Les dangers de la nature : le Bangladesh

Le Bangladesh se compose à 50 pour 100 d'une plaine inondable. C'est un des peuplements les plus denses d'Asie (voir POPULATION), et des millions de personnes vivent sur des terres inondées presque chaque année. Le problème se trouve aggravé par la déforestation de l'Himalaya. Depuis environ une décennie, les pentes dénudées de l'Inde et du Népal subissent une forte érosion, dont le produit est emporté par le Gange et déposé dans le delta, où il forme de nouvelles îles vites colonisées par une population avide de terre à cultiver. Constamment menacées par les eaux, ces îles forment les zones les plus dangereuses du pays. Ces inondations surviennent soit durant les pluies de la mousson (juillet-septembre), soit à la suite des orages tropicaux (novembre-mai).

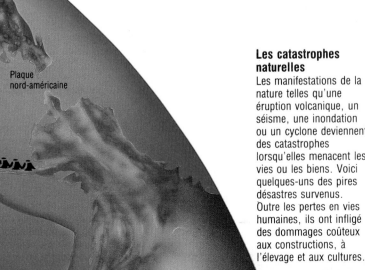

Plaque
nord-américaine

### Les catastrophes naturelles

Les manifestations de la nature telles qu'une éruption volcanique, un séisme, une inondation ou un cyclone deviennent des catastrophes lorsqu'elles menacent les vies ou les biens. Voici quelques-uns des pires désastres survenus. Outre les pertes en vies humaines, ils ont infligé des dommages coûteux aux constructions, à l'élevage et aux cultures.

| Catastrophe | Lieux et date | Morts |
|---|---|---|
| Cyclone | Delta du Gange Bangladesh, novembre 1970 | 1 000 000 |
| Inondation | Houang Ho, Chine octobre 1887 | 900 000 |
| Tremblement de terre | Province de Shanxi Chine, janvier 1556 | 830 000 |
| Glissement de terrain | Province de Gansou Chine, décembre1920 | 180 000 |
| Eruption volcanique | Tambora Sumbawa Indonésie, avril 1815 | 92 000 |
| Avalanche | Yungay, Huascaran, Pérou, mai 1970 | 18 000 |

# 2 Climat

On peut considérer le climat comme la moyenne annuelle du temps qu'il fait au jour le jour dans un endroit déterminé. Les divers climats terrestres sont dus aux mouvements et aux changements réguliers qui affectent la partie basse de l'atmosphère, la troposphère.

Globalement, l'atmosphère agit comme une machine chargée de redistribuer de façon uniforme l'énergie solaire variable reçue à tous les points de la terre. Plus proche du soleil que les pôles, l'équateur en reçoit donc plus de chaleur. On pourrait alors s'attendre à ce qu'il devienne de plus en plus torride et les pôles de plus en plus glacés. Mais en fait, les remous de l'atmosphère et des océans tendent à rétablir un certain équilibre.

En réalité, l'altitude, la répartition des terres et des eaux et l'époque de l'année affectent le climat au même titre que l'énergie solaire. Quant à la température, elle dépend également d'autres éléments qui déterminent une zone climatique particulière, comme les précipitations, les vents, l'humidité et l'évaporation.

**Les températures moyennes et le régime des vents en janvier et juillet**
Il s'agit des vents dominants qui soufflent à la surface de la terre. Selon l'altitude, leur force et leur direction peuvent varier (ci-dessous).

Yellowknife

Manaus

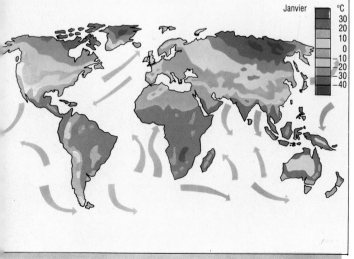

Janvier

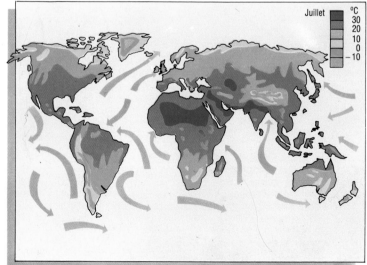

Juillet

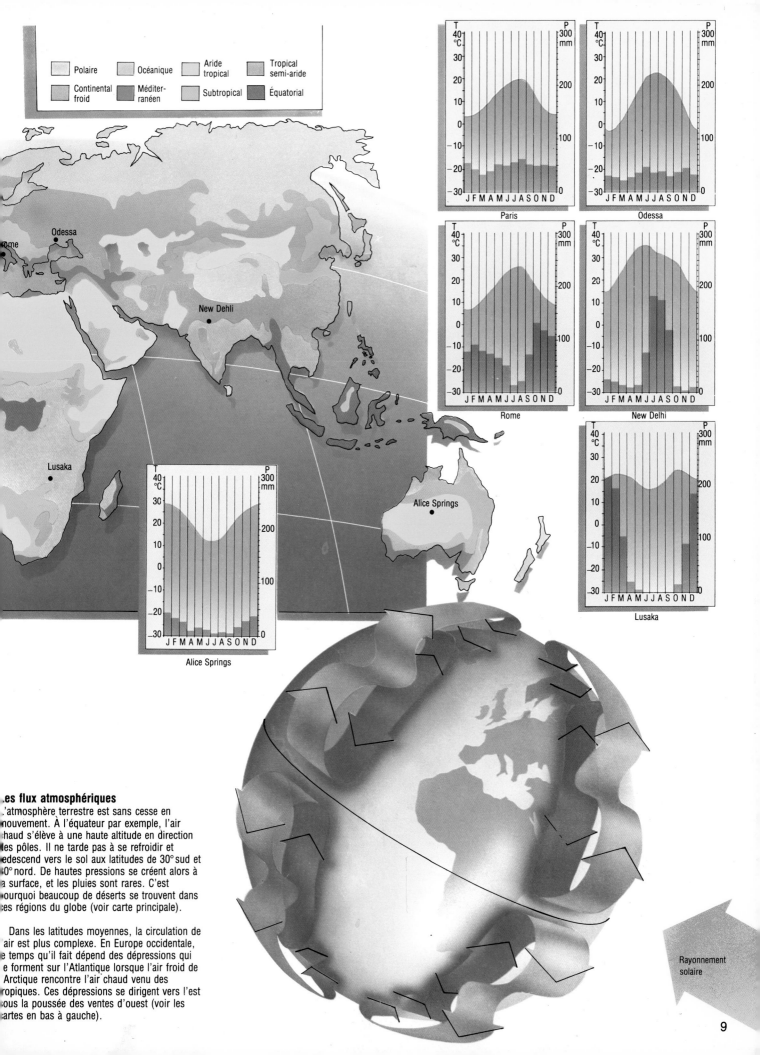

Polaire
Continental froid
Océanique
Méditerranéen
Aride tropical
Subtropical
Tropical semi-aride
Équatorial

Paris

Odessa

Rome

New Delhi

Alice Springs

Lusaka

## es flux atmosphériques

'atmosphère terrestre est sans cesse en
mouvement. À l'équateur par exemple, l'air
chaud s'élève à une haute altitude en direction
des pôles. Il ne tarde pas à se refroidir et
redescend vers le sol aux latitudes de 30° sud et
30° nord. De hautes pressions se créent alors à
la surface, et les pluies sont rares. C'est
pourquoi beaucoup de déserts se trouvent dans
ces régions du globe (voir carte principale).

Dans les latitudes moyennes, la circulation de
air est plus complexe. En Europe occidentale,
e temps qu'il fait dépend des dépressions qui
e forment sur l'Atlantique lorsque l'air froid de
Arctique rencontre l'air chaud venu des
ropiques. Ces dépressions se dirigent vers l'est
ous la poussée des ventes d'ouest (voir les
artes en bas à gauche).

Rayonnement
solaire

9

# 3 Flore

À l'exception des zones de glaces éternelles, toute la surface de la Terre produit une forme de végétation. À l'heure actuelle, on recense environ 1,7 million d'espèces de plantes, et on estime qu'il en existe de 5 à 10 millions.

Le type et la densité de la végétation dépendent largement du climat et de la nature du sol. Par exemple, les froides toundras canadiennes et soviétiques sont des zones d'herbages typiques avec leurs mousses et leurs lichens. Le sol y est souvent gelé ou marécageux. Les déserts, par contre, montrent de grandes surfaces vides parsemées de cactus, de buissons épineux et d'herbes acérées. Quant aux zones forestières tropicales, la végétation y est dense à tous les niveaux : hautes futaies, arbustes et plantes rampantes.

Des millénaires de travail humain ont modifié la couverture végétale. On a défriché la végétation naturelle pour semer de nouvelles plantes et construire des habitations. À mesure que croît la population mondiale et s'accélère le progrès technique, la capacité des hommes à modifier ou détruire la flore s'accentue. On déboise chaque année 80 000 km² de forêt tropicale, ce qui représente la superficie de l'Autriche. Une destruction aussi rapide et intense ne va pas sans conséquences graves (voir ci-dessous à droite).

Énergie solaire

Photosynthèse

Nourriture

Bois de chauffage

Matériau de construction

Abri

Protection contre l'érosion

Transformation des minéraux

### Rôle de la végétation
Les plantes utilisent pour vivre l'énergie solaire et les éléments nutritifs du sol. Elles protègent ce dernier de l'érosion et fournissent abri et nourriture aux animaux. Bien entendu, nous en utilisons beaucoup pour nous nourrir, mais elles servent aussi de combustible, de matériau de construction et à beaucoup d'autres choses.

### Zones de végétation
Cette carte indique les zones de végétation naturelle du monde, mais en maints endroits l'action des hommes en a changé la nature. À cet égard, le plus important est sans doute l'influence de l'agriculture : comparez cette carte avec celle des zones agricoles dans ALIMENTATION ET EAU.

### La pénurie de bois de chauffage
Un grand nombre de gens, particulièrement dans les pays en voie de développement, se servent de bois ramassé alentour pour la cuisine et le chauffage. Lorsqu'ils ne trouvent plus assez de bois mort, ils coupent des branches et des brindilles. Dans certaines régions, la consommation est telle que tous les arbres sont abattus. Ils sont rarement remplacés, si bien que les réserves s'épuisent et l'érosion s'accentue. On estime qu'un milliard trois cents millions de personnes du tiers monde manquent de combustible et on pense que ce chiffre atteindra les trois milliards en l'an 2000.

Populations souffrant de pénurie de bois de chauffage (millions)

1 600

2 000

1 200

800

1 980

400

0

Afrique, N. et N.E.     Asie et Pacifique     Afrique     Amérique latine

1 600
1 400
1 200
1 000
800
600
400
200
0

Bresil

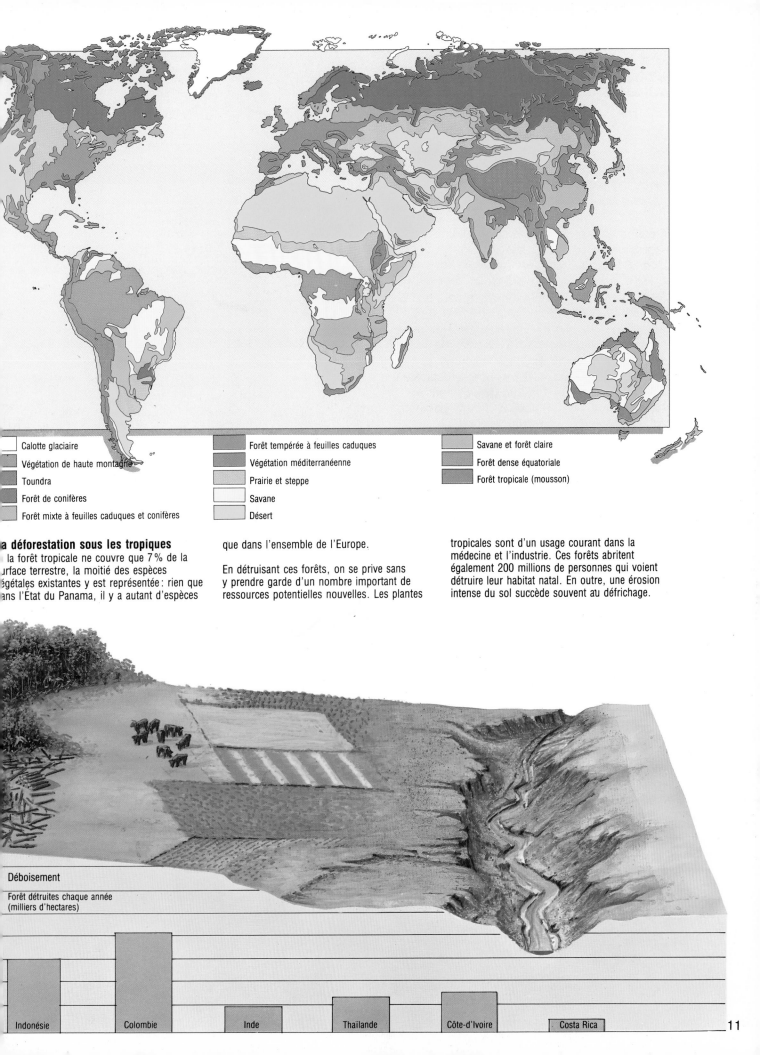

| | | |
|---|---|---|
| ☐ Calotte glaciaire | ☐ Forêt tempérée à feuilles caduques | ☐ Savane et forêt claire |
| ☐ Végétation de haute montagne | ☐ Végétation méditerranéenne | ☐ Forêt dense équatoriale |
| ☐ Toundra | ☐ Prairie et steppe | ☐ Forêt tropicale (mousson) |
| ☐ Forêt de conifères | ☐ Savane | |
| ☐ Forêt mixte à feuilles caduques et conifères | ☐ Désert | |

## a déforestation sous les tropiques

la forêt tropicale ne couvre que 7 % de la urface terrestre, la moitié des espèces égétales existantes y est représentée : rien que ans l'État du Panama, il y a autant d'espèces

que dans l'ensemble de l'Europe.

En détruisant ces forêts, on se prive sans y prendre garde d'un nombre important de ressources potentielles nouvelles. Les plantes

tropicales sont d'un usage courant dans la médecine et l'industrie. Ces forêts abritent également 200 millions de personnes qui voient détruire leur habitat natal. En outre, une érosion intense du sol succède souvent au défrichage.

**Déboisement**

Forêt détruites chaque année
(milliers d'hectares)

| Indonésie | Colombie | Inde | Thaïlande | Côte-d'Ivoire | Costa Rica |
|---|---|---|---|---|---|

# 4 Nations

Voici les nations actuellement indépendantes. Récemment affranchies de la colonisation européenne, nombre d'entre elles sont encore jeunes, particulièrement en Afrique. Le Zaïre, par exemple, qu'on appelait Congo Belge, est devenu indépendant en 1960 et n'a pris son nouveau nom qu'en 1971.

Il existe, en outre, 59 territoires partiellement gouvernés par d'autres nations. Le Groenland, par exemple, est rattaché au Danemark. Hong Kong est une colonie du Royaume-Uni, qui reviendra à la Chine le 1er juillet 1997.

La grande majorité de ces États sont membres de l'Organisation des Nations unies (ONU), qui regroupe 159 pays. L'ONU est le plus important des organismes de coopération internationale, mais d'autres existent, qui sont montrés ici.

## La communauté Européenne

La Communauté Économique Européenne (CEE), ou Marché commun, comptait six membres à sa fondation en 1957. Les participants négocient des accords politiques et économiques d'intérêt commun. À l'heure actuelle, douze nations en font partie. En décembre 1992, le Marché commun doit devenir une véritable fédération d'États, avec libre circulation des biens et des personnes.

## L'OTAN

L'Organisation du Traité de l'Atlantique nord (OTAN) est une alliance de défense conclue entre les pays occidentaux.

## Le Pacte de Varsovie

Ce pacte, signé en 1955, est un traité d'alliance et de coopération militaire qui comprend l'URSS et six de ses plus proches alliés.

OTAN     Pacte de Varsovie

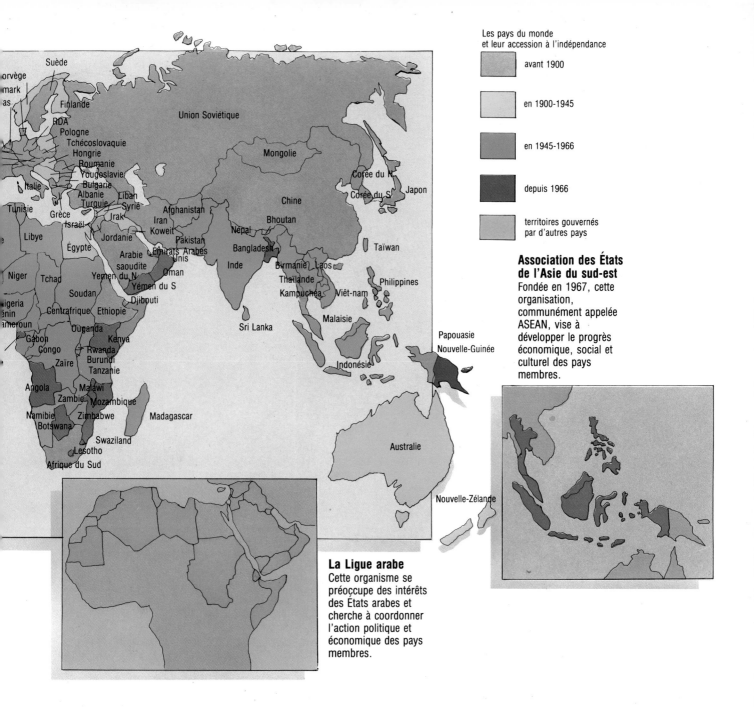

Les pays du monde
et leur accession à l'indépendance

avant 1900

en 1900-1945

en 1945-1966

depuis 1966

territoires gouvernés
par d'autres pays

**Association des États de l'Asie du sud-est**
Fondée en 1967, cette organisation, communément appelée ASEAN, vise à développer le progrès économique, social et culturel des pays membres.

**La Ligue arabe**
Cette organisme se préoccupe des intérêts des États arabes et cherche à coordonner l'action politique et économique des pays membres.

**Le Commonwealth**
Les 49 États membres du Commonwealth sont unis autour de la Couronne d'Angleterre. Tous issus de l'ancien Empire britannique, ils coopèrent sur le plan des affaires internationales, de la culture et de l'économie.

**Le Conseil d'Assistance Économique Mutuelle (CAEM)**
Fondée en 1949, cette organisation des pays socialistes européens se consacre au développement économique des états membres.

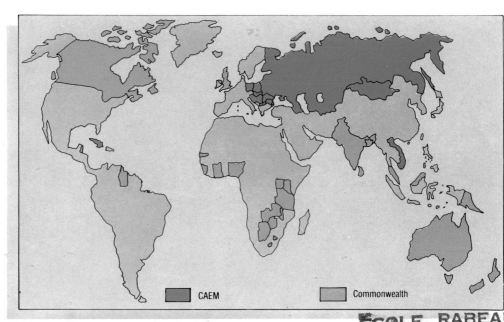

CAEM          Commonwealth

ÉCOLE RABEAU 13

# 5 Pollution

La pollution, c'est l'introduction par l'homme de substances nocives dans l'environnement.

Elle affecte aussi bien le sol que l'air et les océans. Par exemple, les amoncellements d'ordures ménagères — boîtes de conserves, plastiques divers, etc. — polluent l'environnement comme les usines et les moteurs automobiles qui rejettent dans l'atmosphère des gaz et des particules nocives. Les usines polluent également les rivières en rejetant des déchets chimiques qui parviennent à la mer. Celle-ci est en outre souvent souillée par les pétroliers.

L'énergie aussi peut être polluante ; le bruit produit par les usines et les avions est également une nuisance, de même que les rejets liquides des industries et des stations thermiques qui peuvent détruire la faune et la flore des rivières en élevant la température de l'eau.

Les effets de la pollution sont parfois directement dangereux pour la santé. Ainsi, le plomb contenu dans le gaz d'échappement des automobiles peut endommager le cerveau des enfants. La pollution met également en danger des espèces végétales et animales qui constituent des maillons importants de la chaîne complexe des éléments qui forment l'environnement.

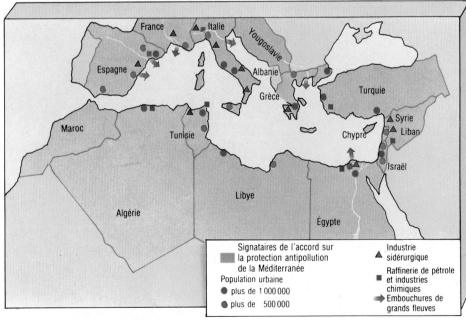

## La pollution méditerranéenne

Mer presque entièrement fermée, la Méditerranée ne connaît que de très faibles marées et ses eaux ne se renouvellent complètement que tous les 70 ans. Elle est donc très vulnérable aux agents polluants qui s'accumulent.

Plus de cent millions de personnes vivent sur les côtes et les îles de la Méditerranée, et chaque année, le total des déchets rejetés par les villes, les industries et les navires atteint le chiffre effarant de 430 milliards de tonnes.

Signataires de l'accord sur la protection antipollution de la Méditerranée

Population urbaine
- plus de 1 000 000
- plus de 500 000

▲ Industrie sidérurgique

■ Raffinerie de pétrole et industries chimiques

➡ Embouchures de grands fleuves

## Les pluies acides

Les pluies acides constituent un risque majeur de pollution dans les régions fortement industrialisées d'Europe et d'Amérique du Nord. Néanmoins, sous l'action des vents, les agents polluants peuvent également franchir de grandes distances.

**1.** La combustion du pétrole et du charbon produit de l'anhydride sulfureux et de l'oxyde d'azote en même temps que des cendres, de la fumées et des poussières.

**2.** Les dépôts d'acide sec précipitent l'érosion des pierres des bâtiments et constituent une agression chimique pour les plantes.

**3.** Les dépôts humides (pluies ou neige acides) attaquent également les plantes et d'autres êtres vivants. Elles pénètrent le sol, les rivières et les lacs.

**4.** Les régions les plus exposées aux pluies acides sont l'Europe et l'Amérique du Nord.

## L'effet de serre

**1.** Le gaz carbonique ($CO_2$) existe à l'état naturel dans l'air que nous respirons. Habituellement, l'énergie solaire est absorbée par la Terre sous forme de chaleur. Une grande partie de cette chaleur, renvoyée par le sol, réchauffe alors l'atmosphère.

**2.** Depuis une centaine d'années, l'utilisation croissante des combustibles fossiles a augmenté la teneur en $CO_2$ de l'atmosphère. Comme le gaz carbonique absorbe davantage la chaleur terrestre irradiée, la température du globe s'est élevée d'un demi-degré centigrade. Si le phénomène se poursuit, la température de l'atmosphère risque de s'élever encore. Cela pourrait avoir des conséquences désastreuses : la fonte des glaces polaires provoquerait l'inondation de nombreuses terres actuellement émergées.

# 6 Avancée du désert

La désertification frappe le plus souvent les terres arides à végétation clairsemée qui bordent les déserts mais peut se produire dans d'autres régions du globe.
Les possibilités de culture et d'élevage diminuent, le sol peut nourrir moins d'hommes.

Cette dégradation a souvent des causes d'origine humaines comme le surpâturage, l'épuisement des sols par les cultures et le défrichage abusif pour libérer des terres agricoles et se procurer du bois de chauffage. Cette surexploitation est souvent produite par la croissance démographique et des phénomènes naturels comme les sécheresses saisonnières.

Le processus commence généralement en des points localisés de la savane herbeuse bordant le désert, mais ces petites zones s'étendent, se rejoignent, et donnent l'impression d'un « mur de désert » en marche.

Déserts hyperarides

Régions arides ou semi-arides

## Le Sahel

Il s'agit d'une région semi-aride sur le bord méridional du Sahara, qui s'étend d'ouest en est, de la Mauritanie au Soudan et à l'Éthiopie. Elle fut victime de sécheresses graves entre la fin des années soixante et le milieu des années quatre-vingt.

La carte de droite montre les zones de progression du désert dans le nord du Soudan.

Limite du désert en 1959

Limite du désert en 1975

Zones en voie de désertification, avec de nombreuses dunes (1975)

Frontière

Oued, lit asséché

Ville

Montagne

## La désertification dans le monde

La carte montre les régions du globe menacées de désertification. Elles se situent principalement en bordure des grands déserts.

Oued Haïfa

20° N

Dongola    Nil

Atbara

1959

16° N

1975    Khartoum

El-Fasher    El-Obeid

JMarra    Kosti

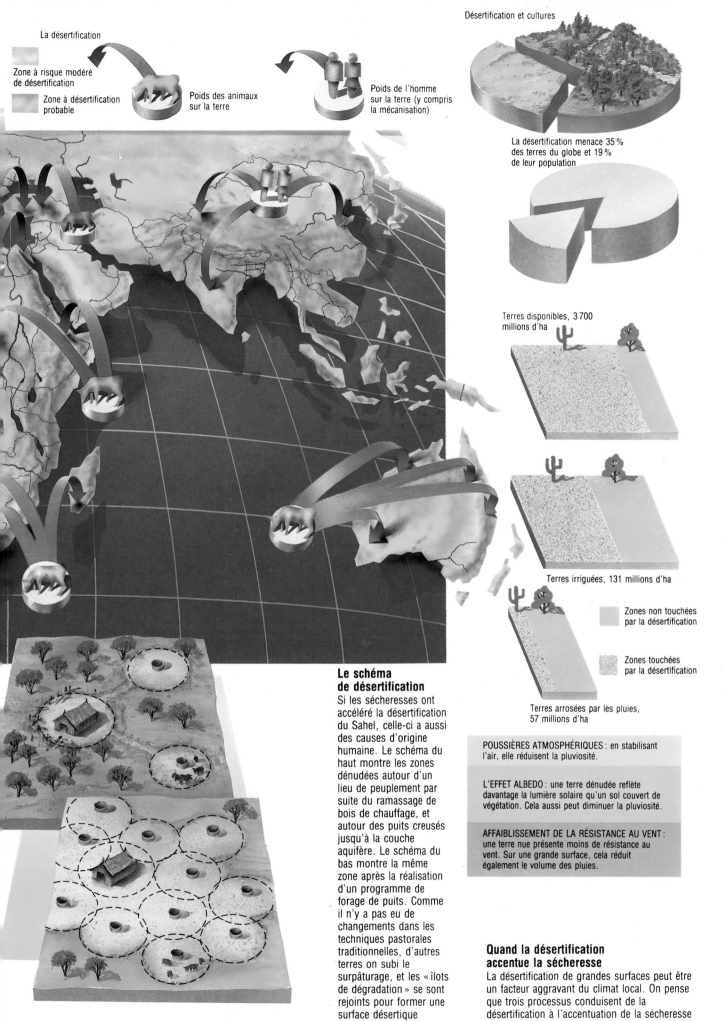

**La désertification**

Zone à risque modéré
de désertification

Zone à désertification
probable

Poids des animaux
sur la terre

Poids de l'homme
sur la terre (y compris
la mécanisation)

Désertification et cultures

La désertification menace 35 %
des terres du globe et 19 %
de leur population

Terres disponibles, 3 700
millions d'ha

Terres irriguées, 131 millions d'ha

Zones non touchées
par la désertification

Zones touchées
par la désertification

Terres arrosées par les pluies,
57 millions d'ha

POUSSIÈRES ATMOSPHÉRIQUES : en stabilisant
l'air, elle réduisent la pluviosité.

L'EFFET ALBEDO : une terre dénudée reflète
davantage la lumière solaire qu'un sol couvert de
végétation. Cela aussi peut diminuer la pluviosité.

AFFAIBLISSEMENT DE LA RÉSISTANCE AU VENT :
une terre nue présente moins de résistance au
vent. Sur une grande surface, cela réduit
également le volume des pluies.

## Le schéma de désertification

Si les sécheresses ont accéléré la désertification du Sahel, celle-ci a aussi des causes d'origine humaine. Le schéma du haut montre les zones dénudées autour d'un lieu de peuplement par suite du ramassage de bois de chauffage, et autour des puits creusés jusqu'à la couche aquifère. Le schéma du bas montre la même zone après la réalisation d'un programme de forage de puits. Comme il n'y a pas eu de changements dans les techniques pastorales traditionnelles, d'autres terres on subi le surpâturage, et les « îlots de dégradation » se sont rejoints pour former une surface désertique presque ininterrompue.

## Quand la désertification accentue la sécheresse

La désertification de grandes surfaces peut être un facteur aggravant du climat local. On pense que trois processus conduisent de la désertification à l'accentuation de la sécheresse par modification du climat.

17

# 7 Population

En 1988, la terre comptait plus de cinq milliards et demi d'habitants. Plus d'un milliard d'entre eux sont Chinois, et l'Inde en compte plus de 700 millions. La France a 55 millions d'habitants. Les pays de peuplement les plus denses sont les cités-États comme Hong Kong où la densité moyenne est de 5 233 habitants au km$^2$.

On appelle structure de la population le nombre d'hommes et de femmes dans les divers groupes d'âge. On la représente généralement sous la forme d'une « pyramide des âges » dont le profil reflète l'histoire démographique d'un pays.

La population mondiale ne cesse de croître. Dans la plupart des pays, il y a chaque année plus de naissances que de morts, mais avec des variations selon les régions du globe. Dans les pays en voie de développement d'Afrique, d'Asie et d'Amérique latine, la pyramide des âges montre que les jeunes sont beaucoup plus nombreux que les vieux. Comme ces jeunes ont à leur tour des enfants, c'est dans ces pays que se produit l'explosion démographique mondiale.

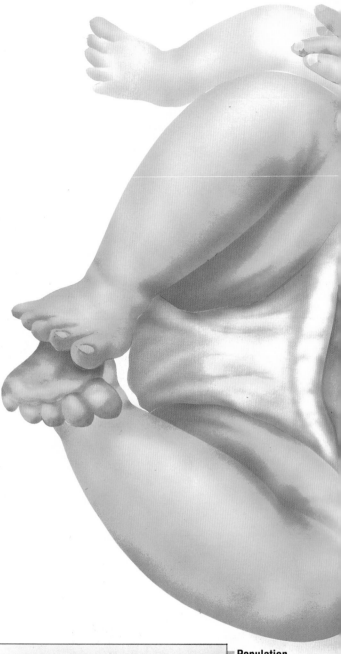

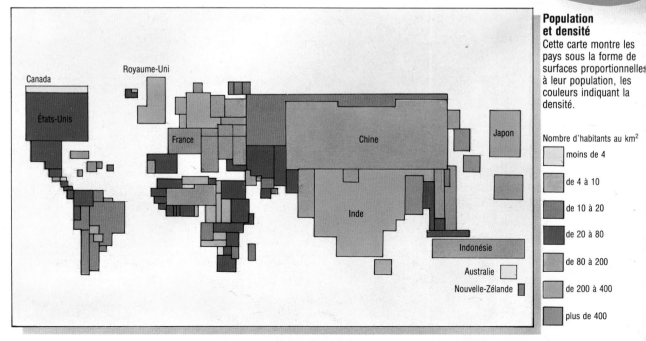

**Population et densité**
Cette carte montre les pays sous la forme de surfaces proportionnelles à leur population, les couleurs indiquant la densité.

Nombre d'habitants au km$^2$

- moins de 4
- de 4 à 10
- de 10 à 20
- de 20 à 80
- de 80 à 200
- de 200 à 400
- plus de 400

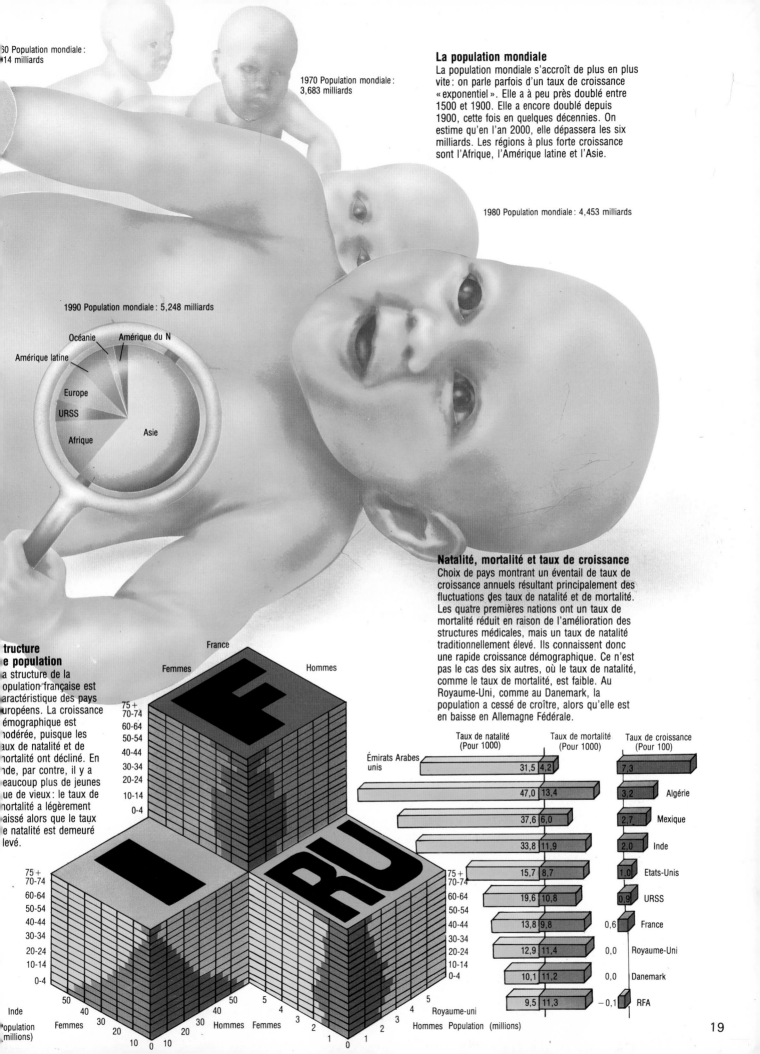

50 Population mondiale : 14 milliards

1970 Population mondiale : 3,683 milliards

### La population mondiale
La population mondiale s'accroît de plus en plus vite : on parle parfois d'un taux de croissance « exponentiel ». Elle a à peu près doublé entre 1500 et 1900. Elle a encore doublé depuis 1900, cette fois en quelques décennies. On estime qu'en l'an 2000, elle dépassera les six milliards. Les régions à plus forte croissance sont l'Afrique, l'Amérique latine et l'Asie.

1980 Population mondiale : 4,453 milliards

1990 Population mondiale : 5,248 milliards

Océanie
Amérique du N
Amérique latine
Europe
URSS
Afrique
Asie

### Natalité, mortalité et taux de croissance
Choix de pays montrant un éventail de taux de croissance annuels résultant principalement des fluctuations des taux de natalité et de mortalité. Les quatre premières nations ont un taux de mortalité réduit en raison de l'amélioration des structures médicales, mais un taux de natalité traditionnellement élevé. Ils connaissent donc une rapide croissance démographique. Ce n'est pas le cas des six autres, où le taux de natalité, comme le taux de mortalité, est faible. Au Royaume-Uni, comme au Danemark, la population a cessé de croître, alors qu'elle est en baisse en Allemagne Fédérale.

structure
e population
a structure de la opulation française est aractéristique des pays uropéens. La croissance émographique est nodérée, puisque les aux de natalité et de nortalité ont décliné. En nde, par contre, il y a eaucoup plus de jeunes ue de vieux : le taux de nortalité a légèrement aissé alors que le taux e natalité est demeuré levé.

France
Femmes
Hommes

| | Taux de natalité (Pour 1000) | Taux de mortalité (Pour 1000) | Taux de croissance (Pour 100) | |
|---|---|---|---|---|
| Émirats Arabes unis | 31,5 | 4,2 | 7,3 | |
| | 47,0 | 13,4 | 3,2 | Algérie |
| | 37,6 | 6,0 | 2,7 | Mexique |
| | 33,8 | 11,9 | 2,0 | Inde |
| | 15,7 | 8,7 | 1,0 | Etats-Unis |
| | 19,6 | 10,8 | 0,9 | URSS |
| | 13,8 | 9,8 | 0,6 | France |
| | 12,9 | 11,4 | 0,0 | Royaume-Uni |
| | 10,1 | 11,2 | 0,0 | Danemark |
| | 9,5 | 11,3 | − 0,1 | RFA |

75 +
70-74
60-64
50-54
40-44
30-34
20-24
10-14
0-4

Inde

Population (millions)
Femmes · Hommes

Royaume-uni
Hommes Population (millions)

# 8 Hommes et lieux

La très grande majorité de la population mondiale vit sédentairement dans des villages, des villes ou de grandes cités. En Europe, Amérique du Nord, Australie et Japon, une importante proportion des habitants demeure dans les zones urbaines. Dans les pays plus pauvres, où la majorité des habitants se consacre à l'agriculture, la population rurale domine.

A mesure qu'un pays se développe, sa population s'accroît, il s'industrialise, et les villes s'étendent. En Europe et aux États-Unis, cette croissance urbaine s'est depuis peu ralentie, mais dans quelques pays en voie de développement elle ne cesse de s'accélérer.

Ces villes grandissent en absorbant des populations paysannes environnantes à la recherche d'une vie meilleure — c'est ce qu'on appelle l'« exode rural » — et aussi du fait que les meilleures conditions de vie qu'elles offrent généralement diminuent le taux de mortalité infantile.

## Cités et bidonvilles

L'un des aspects affligeants du développement des villes dans le tiers monde est l'apparition des « bidonvilles » à leur périphérie. Il s'agit de vastes étendues où s'accumulent des abris précaires faits de vieilles tôles, de morceaux de carton, de tentes et d'autres matériaux de récupération. Souvent, il n'y a ni eau, ni électricité, ni routes, ni installations sanitaires. L'un des plus grands bidonvilles du monde avec près de deux millions d'habitants est celui de Netzahualcóyotl à Mexico.

## Les migrations

On ne parle de migration qu'à propos d'individus qui s'en vont vivre de manière relativement permanente à une grande distance de leur pays d'origine. Est seul considéré comme un émigrant celui qui quitte son pays ou sa province pour aller s'installer dans un autre pays ou une autre province, où il devient un immigré.

Les raisons de l'émigration peuvent être « négatives » ou « positives ». Dans le premier cas, elle est souvent déterminée par le chômage, la guerre ou un désastre naturel

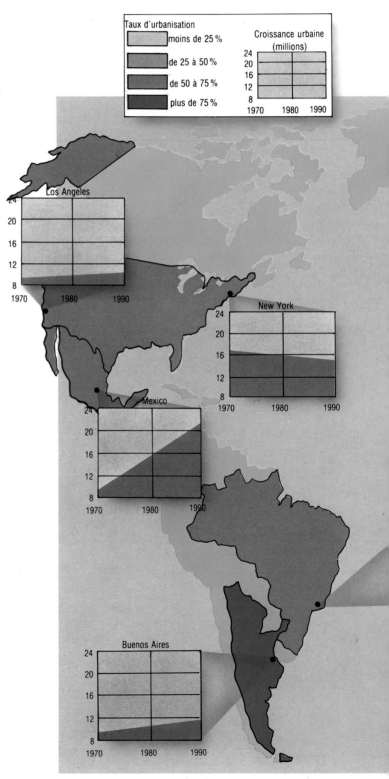

Taux d'urbanisation
- moins de 25 %
- de 25 à 50 %
- de 50 à 75 %
- plus de 75 %

Croissance urbaine (millions)

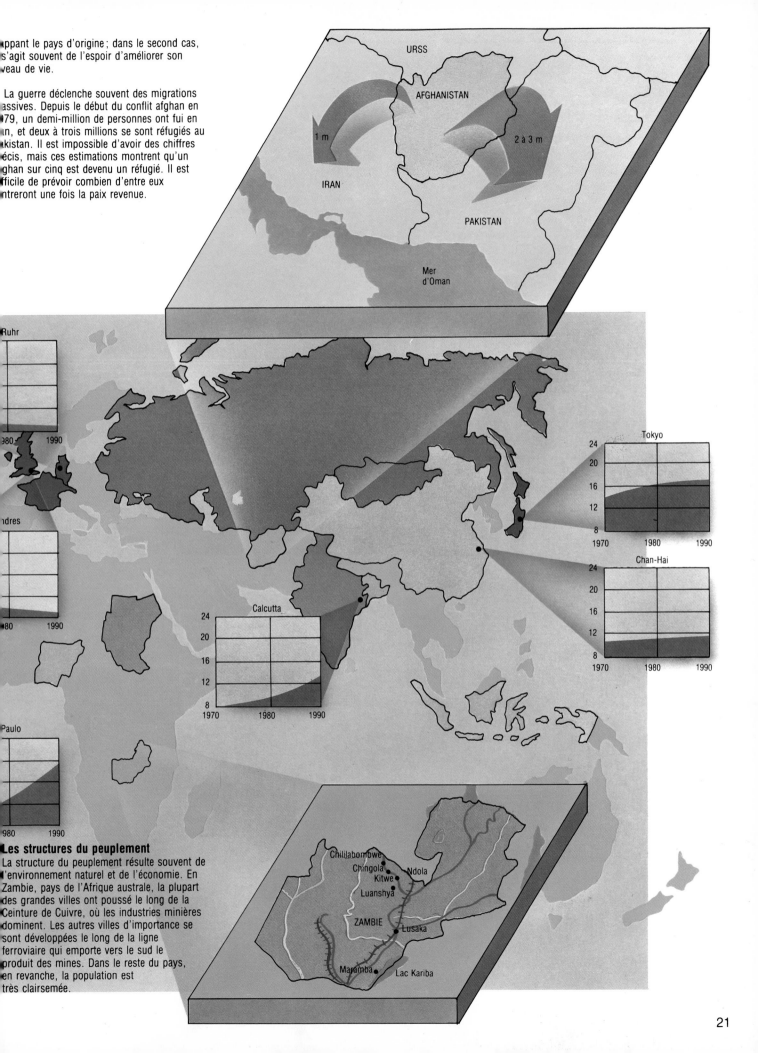

appant le pays d'origine; dans le second cas,
s'agit souvent de l'espoir d'améliorer son
veau de vie.

La guerre déclenche souvent des migrations
assives. Depuis le début du conflit afghan en
79, un demi-million de personnes ont fui en
n, et deux à trois millions se sont réfugiés au
kistan. Il est impossible d'avoir des chiffres
écis, mais ces estimations montrent qu'un
ghan sur cinq est devenu un réfugié. Il est
fficile de prévoir combien d'entre eux
ntreront une fois la paix revenue.

## Les structures du peuplement

La structure du peuplement résulte souvent de
l'environnement naturel et de l'économie. En
Zambie, pays de l'Afrique australe, la plupart
des grandes villes ont poussé le long de la
Ceinture de Cuivre, où les industries minières
dominent. Les autres villes d'importance se
sont développées le long de la ligne
ferroviaire qui emporte vers le sud le
produit des mines. Dans le reste du pays,
en revanche, la population est
très clairsemée.

21

# 9 Villes du tiers monde

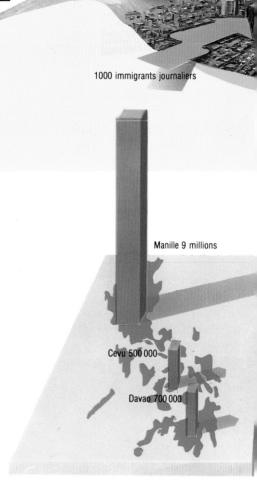

Arrivée de l'eau

1000 immigrants journaliers

Manille 9 millions

Cevu 500 000

Davao 700 000

Le processus d'urbanisation s'est largement accéléré au cours de ce siècle. Les 14 % de citadins de 1900 sont devenus 43 % aujourd'hui. Au rythme actuel, ils seront plus de la moitié en l'an 2000.

Pendant la plus grande partie de ce siècle, c'est dans le monde industrialisé que l'on trouvait les plus grandes cités. A présent, les concentrations urbaines les plus importantes sont dans le tiers monde. Au taux annuel actuel de la croissance urbaine de 2,5 %, le nombre des citadins aura doublé dans le monde d'ici 28 ans.

Près de 90 % de cet accroissement se produira dans le tiers monde, où le taux de croissance annuel est de 3,5 %, chiffre plus de trois fois supérieur à celui des pays industrialisés. Ce phénomène aggrave la congestion des villes, en même temps qu'il accélère le sous-développement des campagnes.

Cependant, certains experts pensent que le taux de croissance des villes du tiers monde s'est ralenti au cours des années quatre-vingt, en raison des difficultés économiques et des énormes dettes contractées par les pays en voie de développement. Les résultats des futurs recensements trancheront ce débat d'experts.

## Manille

Manille est un exemple caractéristique des grandes métropoles, celles qui laissent loin derrière elles la deuxième ville d'un pays. Bien qu'elle produise 60 % des produits manufacturés des Philippines, 16 % de la population active se trouve au chômage en raison de la mécanisation de l'industrie.

Avec les trois cinquièmes de la population vivant au-dessous du seuil de pauvreté, et 11 % seulement des habitations reliées aux égouts, le niveau de vie est bas à Manille. Elle continue pourtant d'attirer les migrants, et on estime que les deux tiers des nouvelles constructions sont illégales et échappent à tout contrôle.

## Les bidonvilles

Un grand nombre de banlieues du tiers monde sont envahies par des zones d'habitations précaires incontrôlées. On a tenté d'apporter différents solutions à ce problème.

## Destruction au bulldozer

Comme en Afrique du Sud, mais cette solution débouche souvent sur des troubles.

## Programmes de relogement massif

Comme au Nigeria, mais même dans un pays aux riches ressources pétrolières, cette solution s'avère trop coûteuse pour résoudre entièrement le problème.

## Amélioration des infrastructures

Comme à Lusaka, en Zambie, à la fin des années 1970. On a tracé des voies, amené l'eau et l'électricité, créé des dispensaires.

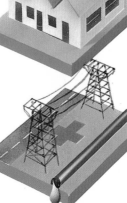

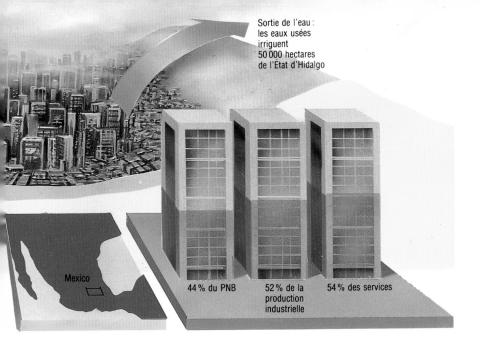

Sortie de l'eau :
les eaux usées
irriguent
50 000 hectares
de l'État d'Hidalgo

Mexico

44 % du PNB    52 % de la    54 % des services
production
industrielle

São Paulo

1930
Population : 1 million
superficie : 150 km$^2$

1962 population :   4 millions    superficie : 750 km$^2$

1980 population : 12 millions superficie : 1 400 km$^2$

## Mexico

Avec 18 à 19 millions d'habitants, soit environ 22 % de la population du Mexique, Mexico est probablement la plus grande ville du monde. En matière de commerce, d'industrie, de politique et de transports, c'est de très loin le centre le plus important du pays. Elle produit 44 % du PNB, 52 % de la production industrielle et 54 % des services.

La ville fut originellement bâtie au bord d'un chapelet de lacs dans une vallée à 2 500 mètres d'altitude. De nos jours, presque tous ces lacs ont été asséchés, et l'eau nécessaire aux habitants et aux industries provient d'un site situé à cent kilomètres et mille mètres plus bas. Dans les années 1990, il faudra aller la chercher dans un nouveau site à 200 kilomètres et 2 000 mètres plus bas. Cela nécessitera la construction de six nouvelles stations de pompage.

En dépit de la surpopulation et de l'expansion du « bidonville » de Netzahualcóyotl, 1 000 personnes viennent chaque jour s'installer à Mexico. Beaucoup restent sans travail. La population est telle, que l'on prétend parfois que respirer l'air de la ville équivaut à fumer quarante cigarettes par jour.

## São Paulo

C'est la plus grande ville du Brésil, et la deuxième en Amérique latine après Mexico. Elle s'étend de manière alarmante et reçoit du gouvernement central de larges subventions, au détriment d'une grande partie du reste du pays. En 1975, São Paulo ne comprenait que moins de 10 % de la population, mais consommait 44 % de l'électricité produite, possédait 39 % des postes téléphoniques, et monopolisait plus de la moitié des ressources industrielles et de l'emploi.

Chaque jour, les industries et les moteurs des automobiles rejettent 8 000 tonnes de matières polluantes dans l'air de la cité, ce qui augmente le taux de mortalité parmi les jeunes enfants et les personnes âgées de plus de 65 ans.

# 10 Alimentation et eau

On estime que 30 % des terres émergées sont exploitables. Les autres sont trop froides, trop sèches, trop escarpées ou inadéquates. La moitié est consacrée à la culture, l'élevage et la forêt se partageant le reste.

La diversité des cultures à travers le monde reflète la diversité des climats et des sols. Le riz, par exemple, exige beaucoup d'eau et une atmosphère chaude, conditions qui se trouvent rassemblées dans les zones tropicales humides. Les céréales, en revanche, ont besoin d'un climat plus tempéré et moins pluvieux, et d'assez de soleil pour mûrir.

Les océans offrent d'importantes ressources alimentaires. La chair des poissons est particulièrement riche de ces protéines qui manquent tragiquement aux populations sous-alimentées du globe. Le Japon, presque dépourvu de fermes, est le plus important consommateur de poisson au monde. En 1983, les pêcheurs japonais ont capturé davantage de poisson que l'Europe occidentale entière.

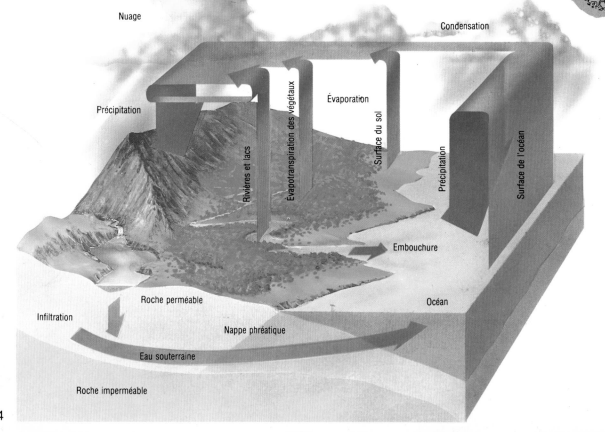

**Le cycle hydrologique**

L'eau est essentielle à la vie sur Terre. Le total des eaux des océans, de l'atmosphère, de la surface et du sol est constant, mais elles sont constamment recyclées. L'eau de la mer, des rivières et des lacs, de la végétation et du sous-sol finit par gagner l'atmosphère. Lorsque celle-ci se refroidit, l'eau se condense ou gèle et retombe sous forme de pluie, de neige ou de grêle. Une partie de cette eau s'infiltre dans le sol, une autre est utilisée par les plantes, le reste retourne vers la mer ou s'évapore directement dans l'atmosphère.

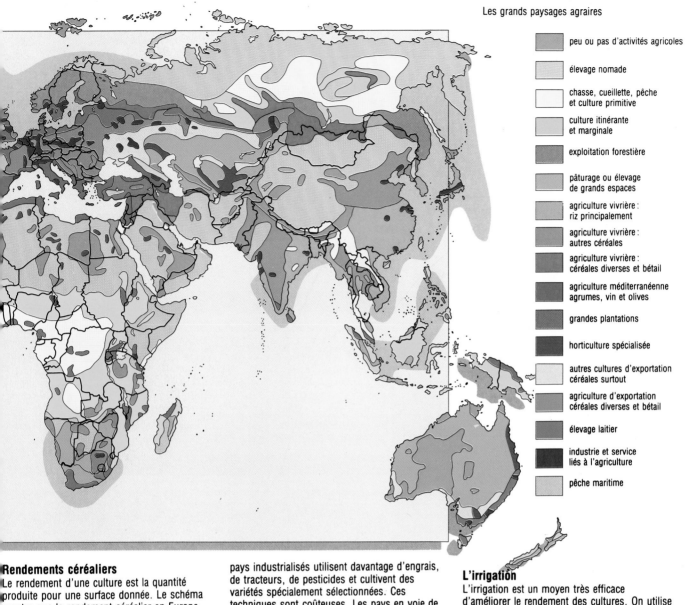

Les grands paysages agraires

- peu ou pas d'activités agricoles
- élevage nomade
- chasse, cueillette, pêche et culture primitive
- culture itinérante et marginale
- exploitation forestière
- pâturage ou élevage de grands espaces
- agriculture vivrière : riz principalement
- agriculture vivrière : autres céréales
- agriculture vivrière : céréales diverses et bétail
- agriculture méditerranéenne agrumes, vin et olives
- grandes plantations
- horticulture spécialisée
- autres cultures d'exportation céréales surtout
- agriculture d'exportation céréales diverses et bétail
- élevage laitier
- industrie et service liés à l'agriculture
- pêche maritime

## Rendements céréaliers

Le rendement d'une culture est la quantité produite pour une surface donnée. Le schéma montre que le rendement céréalier en Europe occidentale et aux États-Unis est plus de quatre fois supérieur à celui de l'Afrique. Cette différence vient du fait que les agriculteurs des pays industrialisés utilisent davantage d'engrais, de tracteurs, de pesticides et cultivent des variétés spécialement sélectionnées. Ces techniques sont coûteuses. Les pays en voie de développement manquent d'argent pour former leurs agriculteurs et acheter des engrais. Et leurs charrues sont plus souvent tirées par des bêtes que par des tracteurs.

## L'irrigation

L'irrigation est un moyen très efficace d'améliorer le rendement des cultures. On utilise de l'eau des rivières, en la retenant parfois par des barrages pour la répandre ensuite au moment opportun, ou de l'eau tirée du sous-sol.

Toutefois, cela revient cher. Les canaux et les installations d'arrosage exigent un entretien constant et une gestion attentive, car un excès d'eau risque de détruire une récolte par pourrissement ou dépôts de sels.

rendement céréalier (kg/ha)

| | |
|---|---|
| Europe de l'Ouest | 4 655 |
| États-Unis | 4 378 |
| Chine | 3 894 |
| Amérique du S | 2 026 |
| Union Soviétique | 1 439 |
| Afrique | 890 |

A % de culture par irrigation
B % production totale de nourriture provenant de terres irriguées

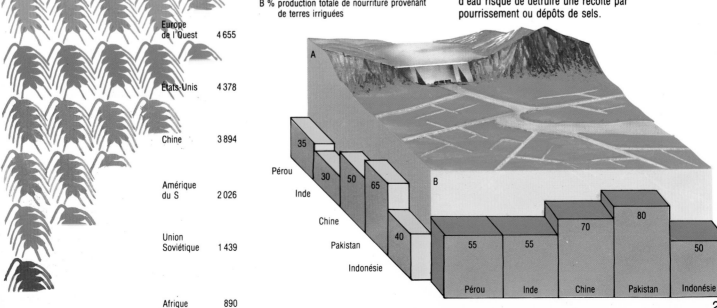

A
35 Pérou
30 Inde
50 Chine
65 Pakistan
40 Indonésie

B
55 Pérou
55 Inde
70 Chine
80 Pakistan
50 Indonésie

25

# 11 Types de cultures

Il existe quatre modes fondamentaux d'exploitation du sol. On peut cultiver des plantes ou des arbres vivaces comme les arbres fruitiers, la vigne ou le caoutchouc, ou des plantes annuelles comme le maïs ou le blé semé chaque année après la moisson et les labours. On peut également entretenir des prairies permanentes ou faire alterner sur les mêmes parcelles la culture des grains et des plantes fourragères destinées aux bêtes.

Le choix du mode d'exploitation dépend largement de facteurs tels que le climat et la nature du sol, et de l'influence du marché local ou du marché international si la production est destinée à la vente.

Les techniques agricoles des pays riches sont très différentes de celles des pays pauvres, et pas seulement pour des raisons de climat ou de sol. Les fermiers des pays développés utilisent des machines et un grand nombre d'engrais et pesticides divers. Ces techniques ont abouti à des rendements beaucoup plus importants (voir ALIMENTATION ET EAU), si bien que de nombreux pays du tiers monde cherchent à les adopter. Cette politique n'est pas toujours possible, ni toujours efficace. Les machines agricoles et les engrais coûtent cher, et les cultivateurs doivent être formés à leur utilisation. En outre, les machines ont besoin d'entretien et de carburant et il n'est pas facile de se procurer des pièces détachées.

**La production agricole aux États-Unis**
Le gouvernement américain a largement encouragé le développement de la culture des principales céréales. Le résultat en a été un accroissement du rendement, de la production nationale et de la surface cultivée. L'amélioration de la productivité a gonflé le revenu des fermiers, leur permettant de se procurer des machines de plus en plus perfectionnées et toujours davantage de produits chimiques.

Néanmoins, cette politique a souvent conduit à une aggravation de l'érosion, après la mise en culture de terres inadéquates, et à de sérieux problèmes de pollution par les substances chimiques.

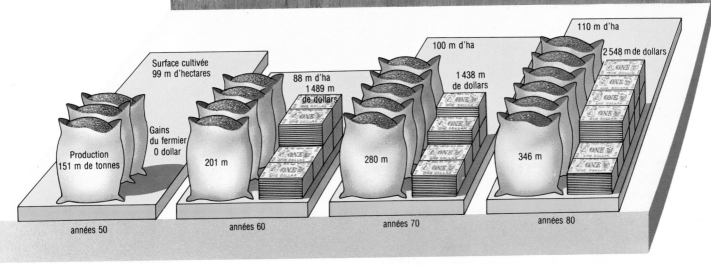

Surface cultivée 99 m d'hectares

88 m d'ha 1 489 m de dollars

100 m d'ha

1 438 m de dollars

110 m d'ha

2 548 m de dollars

Gains du fermier 0 dollar

Production 151 m de tonnes

201 m

280 m

346 m

années 50    années 60    années 70    années 80

## La production agricole en Afrique

En Afrique, comme dans d'autres pays, certaines cultures sont destinées à la consommation locale, d'autres à l'exportation. Selon certains, l'une des causes de la crise alimentaire africaine des années 1980 (voir FAMINE ET ABONDANCE), serait la trop grande extension des cultures d'exportation au détriment des cultures vivrières locales. Cela ne s'est pas réellement produit, mais dans certaines régions où les cultures d'exportation se sont étendues sur des terres auparavant consacrées aux cultures vivrières, celles-ci se sont trouvées repoussées vers des sols plus pauvres (voir ci-dessous).

## Burkina Faso : le programme Volta occidentale

La production de coton d'exportation du Burkina Faso est passée de 2 000 tonnes à 75 000 tonnes entre 1960 et 1984. Une grande partie de cette production vient de l'application du programme Volta occidentale dans le sud du pays, où la pluviométrie annuelle est de 1 000 mm ou plus. L'irrigation n'est donc pas nécessaire, et le rendement de 1 000 kg à l'hectare obtenu est le double du rendement moyen dans l'ensemble de l'Afrique sub-saharienne. On utilise des engrais, mais on s'est surtout attaché à mettre au point des méthodes applicables par les villageois.

Les cultures traditionnelles ont été quant à elles repoussées vers le nord où les sols sont plus pauvres et la pluviométrie à la fois plus faible et moins régulière. Cette agriculture traditionnelle est fondée sur le millet et le sorgho et sur l'élevage nomade à la lisière du désert. Contrairement à la production cotonnière, la production vivrière n'a connu aucun progrès depuis 1960.

## Nigeria : cultures en allées

La technique des « cultures en allées » développée au Nigeria est l'une des solutions possibles en région humide. Le principe en est simple : on cultive des plantes telle que l'igname entre deux rangées d'arbustes. Ces arbustes sont des « légumineux », comme le pois ou les haricots, qui ont la particularité de favoriser dans le sol la formation d'azote, élément essentiel à la croissance végétale.

Cette technique présente beaucoup d'avantages. Les arbres sont élagués, et leurs feuilles sont répandues dans les allées pour amender le sol, ce qui évite les engrais chimiques. Les feuilles en surnombre peuvent servir de fourrage, et le bois coupé de combustible. Les arbres protègent de l'érosion, et la terre emportée par les eaux, au lieu d'être perdue, peut être utilisée à constituer des terrasses. Plus important encore, la culture peut se faire en continu, alors qu'ailleurs, quelques années de jachère sont nécessaires pour rendre au sol sa fertilité. Au cours d'une expérimentation menée pendant six ans sans apport d'engrais, on a relevé un rendement constant de deux tonnes à l'hectare (plus du double de la moyenne nigériane).

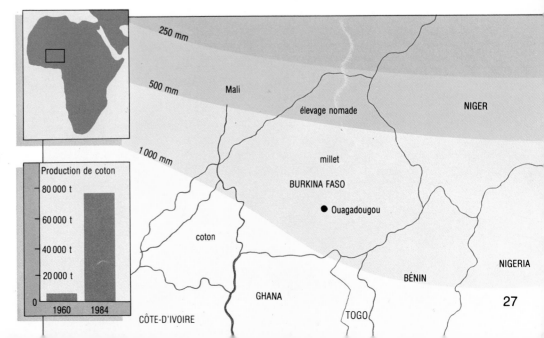

250 mm

500 mm

Mali

1 000 mm

élevage nomade

NIGER

millet

BURKINA FASO

● Ouagadougou

coton

Production de coton

80 000 t

60 000 t

40 000 t

20 000 t

0

1960    1984

GHANA

CÔTE-D'IVOIRE

TOGO

BÉNIN

NIGERIA

27

# 12 Famine et abondance

La terre produit assez de nourriture pour l'ensemble de sa population actuelle. Néanmoins, en Amérique du Nord et en Europe, il y a surpopulation, alors que beaucoup de pays pauvres doivent faire face à une situation de pénurie.

Par une ironie tragique, alors que des « montagnes » d'aliments sont stockées en Europe en raison de la surpopulation agricole, des Africains meurent de faim parce qu'ils ne trouvent rien à manger. La solution, toutefois, n'est pas toujours simple, car dans certaines parties du monde, on ne mange pas le même type d'aliments qu'en Europe (voir en bas à droite).

L'une des conséquences de cette distribution inégale de nourriture est montrée en haut de la page. Là, une alimentation trop riche abrège la vie de certains, ailleurs, des hommes meurent parce qu'ils ne trouvent pas de quoi se maintenir en vie. Dans nos pays, beaucoup de gens suivent des régimes amaigrissants parce qu'ils préfèrent être minces. En Inde, au contraire, les riches veulent être gras, car c'est un signe de prospérité.

## Le commerce des grains

Les divers types de grains tels que le blé, le maïs et le riz constituent presque partout l'alimentation de base. Certains pays en produisent suffisamment pour nourrir leur population et avoir de larges excédents exportables. La domination des États-Unis dans le commerce mondial des grains est manifeste. Pour certains pays, importer des céréales américaines est utile pour compenser l'insuffisance de leur production propre, mais cette facilité risque de diminuer l'incitation à produire eux-mêmes davantage.

Les principaux importateurs de grains sont l'Union soviétique et les pays africains. Ces dix dernières années, les quantités importées n'ont cessé de croître. L'infrastructure de production soviétique est inefficace ; les pertes sont importantes dans le stockage et le transport. En Afrique, beaucoup de pays ne produisent pas assez en raison des sécheresses. En outre, l'expansion des cultures d'exportation a souvent conduit à négliger le développement de la culture de céréales destinées à la consommation locale.

Principaux exportateurs de céréales
(millions de tonnes)

Royaume-Uni 6    Thaïlande 8    Australie 15    Argentine 17    France 25    Canada 27

États-Unis 104

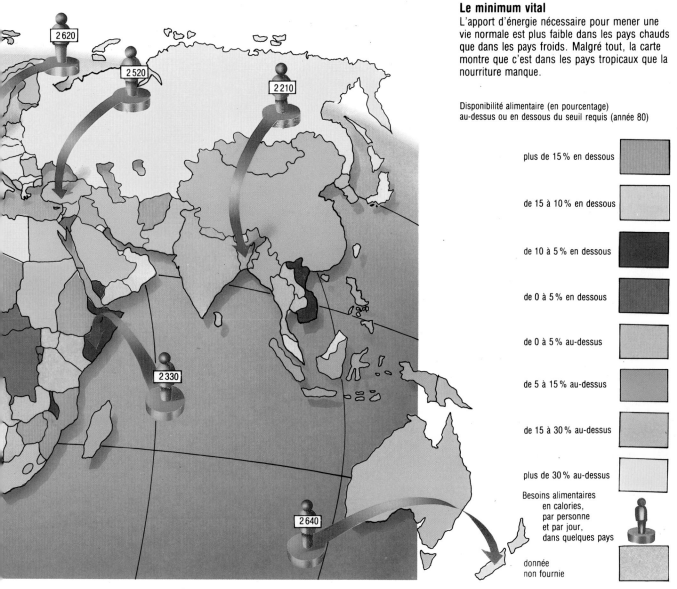

## Le minimum vital

L'apport d'énergie nécessaire pour mener une vie normale est plus faible dans les pays chauds que dans les pays froids. Malgré tout, la carte montre que c'est dans les pays tropicaux que la nourriture manque.

Disponibilité alimentaire (en pourcentage)
au-dessus ou en dessous du seuil requis (année 80)

plus de 15 % en dessous

de 15 à 10 % en dessous

de 10 à 5 % en dessous

de 0 à 5 % en dessous

de 0 à 5 % au-dessus

de 5 à 15 % au-dessus

de 15 à 30 % au-dessus

plus de 30 % au-dessus

Besoins alimentaires
en calories,
par personne
et par jour,
dans quelques pays

donnée
non fournie

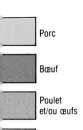

## Les interdits alimentaires

On voit ici une carte montrant les régions du monde où les populations refusent certains types de nourriture, généralement pour des raisons d'ordre religieux. Par exemple, les musulmans ne mangent pas de viande de porc.

Porc

Bœuf

Poulet
et/ou œufs

Produits
laitiers

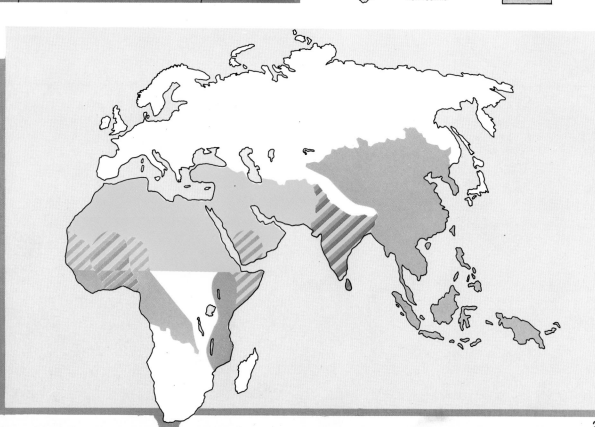

29

# 13 Santé

L'« espérance de vie » d'un individu varie radicalement en fonction de l'endroit où il vit. Elle est par exemple de 37 ans en Afghanistan, et atteint les 70 ans au Japon. Beaucoup de facteurs entrent en jeu, mais si vous habitez un pays riche, vous pouvez raisonnablement espérer vivre plus longtemps que si vous êtes citoyen d'un pays pauvre.

L'un des éléments importants qui influent sur le chiffre d'espérance de vie est la probabilité de survie au-delà d'un an des nouveau-nés. C'est ce que l'on appelle le « taux de mortalité infantile ». Dans la plupart des pays européens, dix bébés sur mille meurent avant un an. En Afrique, ils sont plus de cent.

Bien que beaucoup de pays tropicaux soient frappés par des maladies très difficiles à prévenir, la mortalité infantile pourrait être diminuée et l'espérance de vie accrue par des mesures simples. Il faudrait par exemple fournir des biens que les Occidentaux considèrent généralement comme allant de soi, une eau propre et des installations sanitaires.

## Eau potable et hygiène

En 1980, l'Organisation Mondiale de la Santé estimait que trois habitants sur cinq des pays en voie de développement ne disposaient pas d'une eau potable sûre, et que trois sur quatre n'avaient à leur portée aucune installation sanitaire, pas même un seau hygiénique ou des latrines.

L'eau peut transmettre des maladies. Chaque jour à travers le monde, 25 000 personnes meurent à cause d'une eau souillée.

Dans les pays en voie de développement, la situation est généralement particulièrement grave dans les campagnes. En Tanzanie, par exemple, 28 % de la population rurale, mais 82 % de la population de la capitale Dar-es-Salaam disposent d'eau potable.

## Nombre d'habitants par médecin

Autre disparité entre les pays : le nombre de médecins dont disposent les habitants. Il faut néanmoins tenir compte de l'existence d'une médecine traditionnelle qui passe par l'usage des plantes, ou de l'acupuncture comme en Chine. Dans les pays les plus pauvres, la carence médicale est surtout sensible dans les campagnes, les médecins et les hôpitaux étant généralement concentrés dans les villes.

Europe de l'Ouest
476

États-Unis
549

URSS
248

30

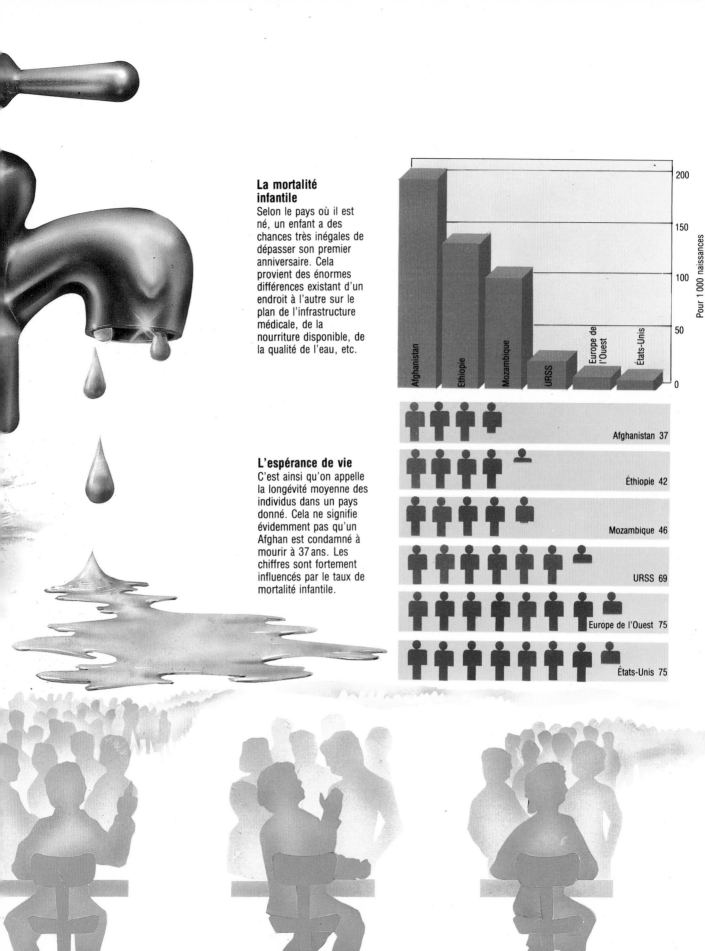

### La mortalité infantile

Selon le pays où il est né, un enfant a des chances très inégales de dépasser son premier anniversaire. Cela provient des énormes différences existant d'un endroit à l'autre sur le plan de l'infrastructure médicale, de la nourriture disponible, de la qualité de l'eau, etc.

### L'espérance de vie

C'est ainsi qu'on appelle la longévité moyenne des individus dans un pays donné. Cela ne signifie évidemment pas qu'un Afghan est condamné à mourir à 37 ans. Les chiffres sont fortement influencés par le taux de mortalité infantile.

Pour 1 000 naissances

Afghanistan 37

Éthiopie 42

Mozambique 46

URSS 69

Europe de l'Ouest 75

États-Unis 75

Ethiopie
72 582

Chine
786

Inde
2 710

31

# 14 Maladie et mort

Dans les pays en voie de développement, beaucoup de personnes n'atteignent jamais l'« âge mûr ». Cela est dû à la pauvreté, et les causes n'en sont pas irrémédiables. Il s'agit de la sous-alimentation, de l'eau polluée, du manque d'hygiène et de soins médicaux, et de l'absence d'éducation.

Dans les pays d'Europe et d'Amérique du Nord, on meurt souvent de maladies causées par une nourriture trop riche, le manque d'exercice ou le tabac. Les fléaux majeurs sont les maladies cardiaques et le cancer. Du fait de l'espérance de vie plus longue, les maladies de la vieillesse y sont plus fréquentes qu'ailleurs.

En Afrique, en Asie et en Amérique latine, les principales causes de la mortalité sont des maladies comme la diarrhée. Les enfants en sont les premières victimes. Parmi d'autres maladies qui s'attaquent aussi surtout aux enfants, citons la rougeole, la coqueluche, la polio et le tétanos. Dans nos pays, les enfants sont généralement vaccinés, alors que dans les pays pauvres ils n'ont pas toujours cette chance.

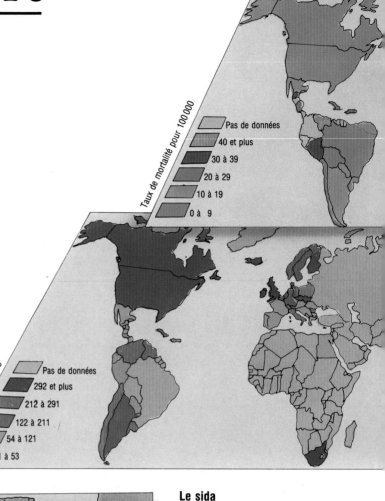

Taux de mortalité pour 100 000

Pas de données
40 et plus
30 à 39
20 à 29
10 à 19
0 à 9

Taux de mortalité pour 100 000

Pas de données
292 et plus
212 à 291
122 à 211
54 à 121
1 à 53

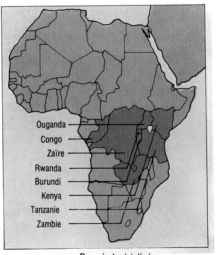

Ouganda
Congo
Zaïre
Rwanda
Burundi
Kenya
Tanzanie
Zambie

### Le sida
C'est une maladie nouvelle qui a fait des victimes dans beacoup de pays du monde. La situation est particulièrement grave dans les pays d'Afrique centrale montrés ici. Bien que le nombre des victimes soit peu élevé à l'échelle mondiale, le mal se répand rapidement. On espère trouver un remède avant que la situation devienne incontrôlable.

Pays en voie de développement

Pays industrialisés

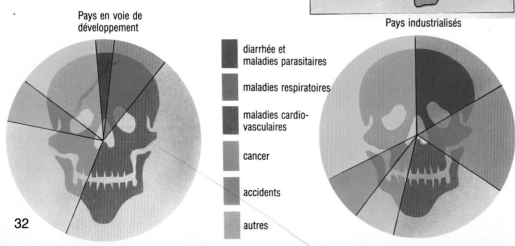

diarrhée et maladies parasitaires

maladies respiratoires

maladies cardio-vasculaires

cancer

accidents

autres

### Les causes de la mort
Comparaison de l'importance relative des causes de la mortalité dans les pays industrialisés et les pays en voie de développement.

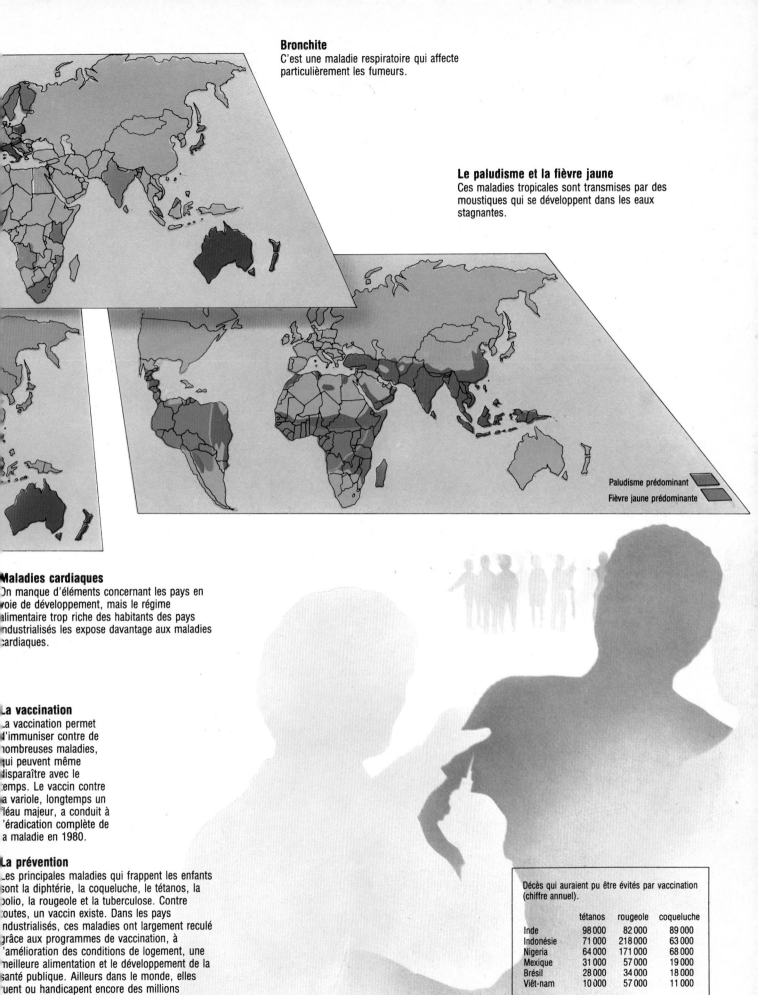

**Bronchite**
C'est une maladie respiratoire qui affecte particulièrement les fumeurs.

**Le paludisme et la fièvre jaune**
Ces maladies tropicales sont transmises par des moustiques qui se développent dans les eaux stagnantes.

Paludisme prédominant
Fièvre jaune prédominante

**Maladies cardiaques**
On manque d'éléments concernant les pays en voie de développement, mais le régime alimentaire trop riche des habitants des pays industrialisés les expose davantage aux maladies cardiaques.

**La vaccination**
La vaccination permet d'immuniser contre de nombreuses maladies, qui peuvent même disparaître avec le temps. Le vaccin contre la variole, longtemps un fléau majeur, a conduit à l'éradication complète de la maladie en 1980.

**La prévention**
Les principales maladies qui frappent les enfants sont la diphtérie, la coqueluche, le tétanos, la polio, la rougeole et la tuberculose. Contre toutes, un vaccin existe. Dans les pays industrialisés, ces maladies ont largement reculé grâce aux programmes de vaccination, à l'amélioration des conditions de logement, une meilleure alimentation et le développement de la santé publique. Ailleurs dans le monde, elles tuent ou handicapent encore des millions d'enfants. Le tableau montre le nombre annuel des victimes de certaines de ces maladies dans quelques pays du tiers monde.

Décès qui auraient pu être évités par vaccination (chiffre annuel).

|  | tétanos | rougeole | coqueluche |
|---|---|---|---|
| Inde | 98 000 | 82 000 | 89 000 |
| Indonésie | 71 000 | 218 000 | 63 000 |
| Nigeria | 64 000 | 171 000 | 68 000 |
| Mexique | 31 000 | 57 000 | 19 000 |
| Brésil | 28 000 | 34 000 | 18 000 |
| Viêt-nam | 10 000 | 57 000 | 11 000 |

# 15 Ressources minières

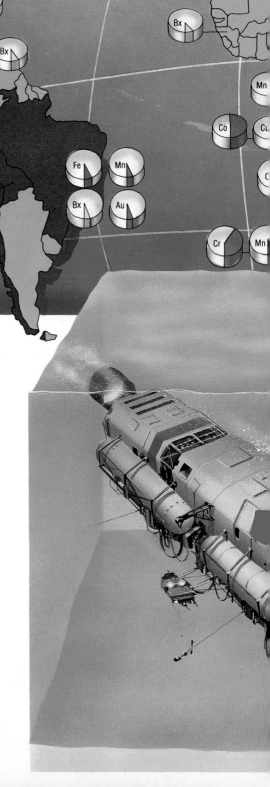

Les éléments minéraux sont nécessaires à la vie de tous. On en trouve partout, dans nos aliments, dans l'eau que nous buvons, dans les objets quotidiens.

Le sous-sol fournit de nombreux minerais utiles. Le fer, transformé en acier après l'ajout d'autres métaux, est le plus largement employé. Pour obtenir un acier plus dur, on emploie du tungstène, il faut du cobalt pour faire de l'acier magnétique, et c'est avec du manganèse qu'on obtient l'alliage le plus résistant.

L'or est le plus précieux des métaux. La plupart des pays en conservent d'importantes réserves dans les coffres de leurs banques, parce qu'il ne perd jamais sa valeur en raison d'une demande constante.

La répartition des minerais est le fait du hasard. Les pays les plus étendus comme l'Union soviétique, la Chine, les États-Unis ou le Brésil en sont bien pourvus. La France possède peu de minerais (voir ÉNERGIE). Mais une petite île des Caraïbes comme la Jamaïque est un important producteur mondial de bauxite, qui sert à fabriquer l'aluminium.

### Les réserves mondiales de minerais
Les dates d'épuisement probable ne peuvent qu'être très approximatives. De nouvelles réserves peuvent être découvertes, de meilleurs rendements obtenus par recyclage, et des solutions de remplacement imaginées.

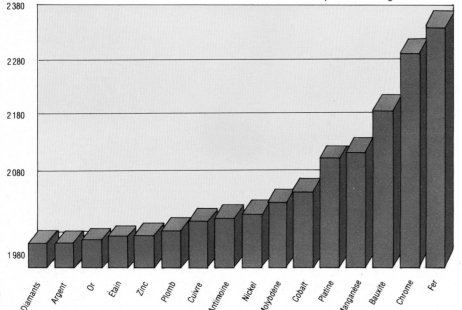

Année d'épuisement des réserves

2 380
2 280
2 180
2 080
1 980

Diamants · Argent · Or · Étain · Zinc · Plomb · Cuivre · Antimoine · Nickel · Molybdène · Cobalt · Platine · Manganèse · Bauxite · Chrome · Fer

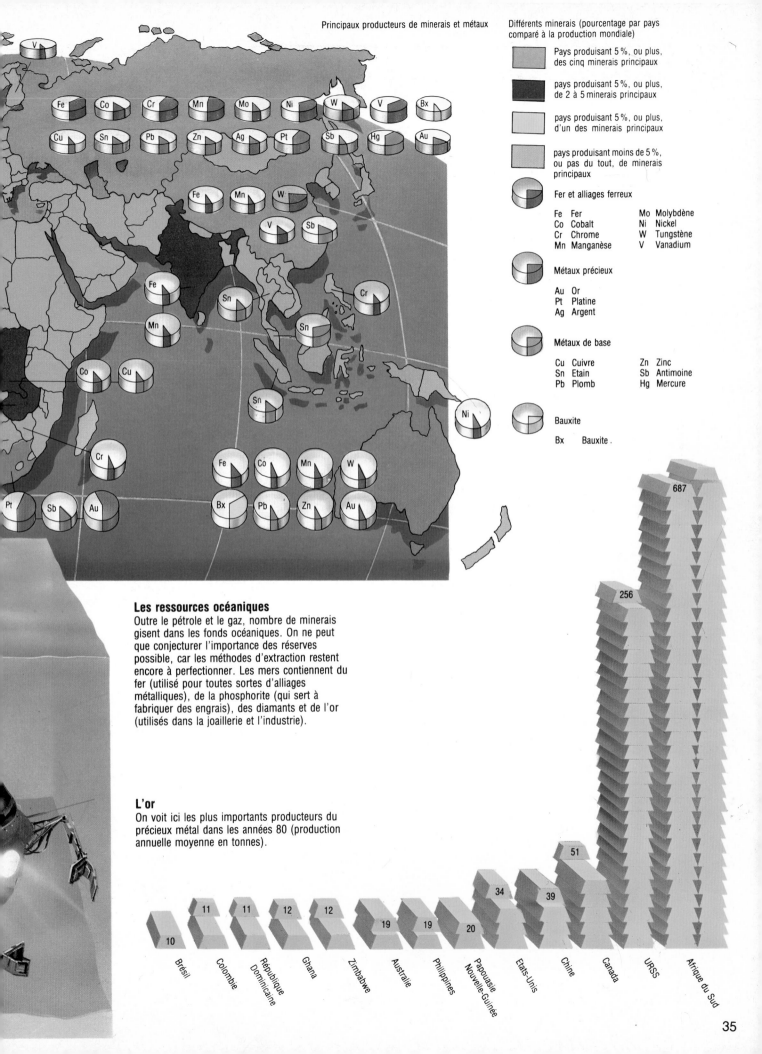

Principaux producteurs de minerais et métaux

Différents minerais (pourcentage par pays comparé à la production mondiale)

Pays produisant 5 %, ou plus, des cinq minerais principaux

pays produisant 5 %, ou plus, de 2 à 5 minerais principaux

pays produisant 5 %, ou plus, d'un des minerais principaux

pays produisant moins de 5 %, ou pas du tout, de minerais principaux

Fer et alliages ferreux

| Fe | Fer | Mo | Molybdène |
| Co | Cobalt | Ni | Nickel |
| Cr | Chrome | W | Tungstène |
| Mn | Manganèse | V | Vanadium |

Métaux précieux

Au  Or
Pt  Platine
Ag  Argent

Métaux de base

| Cu | Cuivre | Zn | Zinc |
| Sn | Etain | Sb | Antimoine |
| Pb | Plomb | Hg | Mercure |

Bauxite

Bx      Bauxite .

## Les ressources océaniques

Outre le pétrole et le gaz, nombre de minerais gisent dans les fonds océaniques. On ne peut que conjecturer l'importance des réserves possible, car les méthodes d'extraction restent encore à perfectionner. Les mers contiennent du fer (utilisé pour toutes sortes d'alliages métalliques), de la phosphorite (qui sert à fabriquer des engrais), des diamants et de l'or (utilisés dans la joaillerie et l'industrie).

## L'or

On voit ici les plus importants producteurs du précieux métal dans les années 80 (production annuelle moyenne en tonnes).

| 10 | 11 | 11 | 12 | 12 | 19 | 19 | 20 | 34 | 39 | 51 | 256 | 687 |

Brésil · Colombie · République Dominicaine · Ghana · Zimbabwe · Australie · Philippines · Papouasie Nouvelle-Guinée · Etats-Unis · Chine · Canada · URSS · Afrique du Sud

# 16 Énergie

Qu'il s'agisse de faire cuire un œuf ou d'envoyer une fusée dans l'espace, l'énergie est un élément vital des activités humaines. Elle nous vient pour l'essentiel des « combustibles fossiles » : charbon, pétrole et gaz naturel. Ceux-ci sont le produit de végétaux vivant il y a des millions d'années qui se sont transformés dans le sous-sol de la Terre.

Ces combustibles fossiles ne sont pas inépuisables. On estime qu'il nous reste 30 ans de pétrole et 250 ans de charbon. En 1988, 4 pour 100 seulement de l'énergie utilisée provenait d'autres sources. Il faut des conditions locales spécifiques pour produire l'énergie hydro-électrique, géothermique, éolienne, solaire, ou marémotrice. C'est l'énergie nucléaire qui est la plus appelée à se répandre. Cependant, elle comporte des risques terrifiants, comme l'a montré l'incendie du réacteur soviétique de Tchernobyl en 1986.

La carte ne montre pas la totalité de l'énergie produite dans le monde. Le bois, utilisé très localement comme combustible, en représente environ 15 pour 100. C'est la source d'énergie pricipale d'environ 2 milliards de personnes habitant pour la plupart le tiers monde. Si le bois est théoriquement renouvelable, la déforestation se poursuit à un tel rythme dans certaines régions qu'on aboutit à une pénurie sévère (voir FLORE).

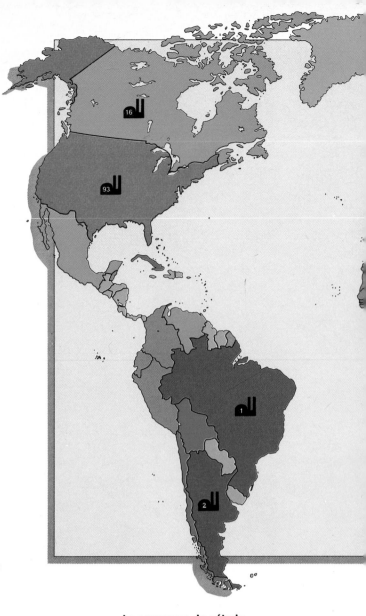

## Consommation et production
Les dix principaux consommateurs d'énergie et leur production propre.

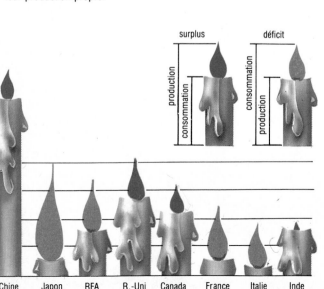

En millions de tonnes équivalent - charbon

surplus   déficit

production / consommation   consommation / production

États-Unis   URSS   Chine   Japon   RFA   R.-Uni   Canada   France   Italie   Inde

## Le commerce du pétrole
La plus grande partie de l'énergie mondiale provient du pétrole. On voit ici les dix principaux exportateurs avec leurs clients. Notez que les

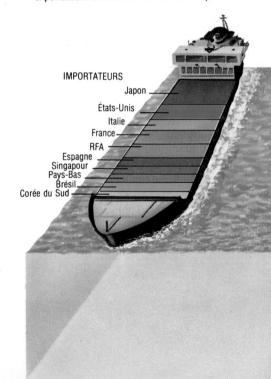

IMPORTATEURS
Japon
États-Unis
Italie
France
RFA
Espagne
Singapour
Pays-Bas
Brésil
Corée du Sud

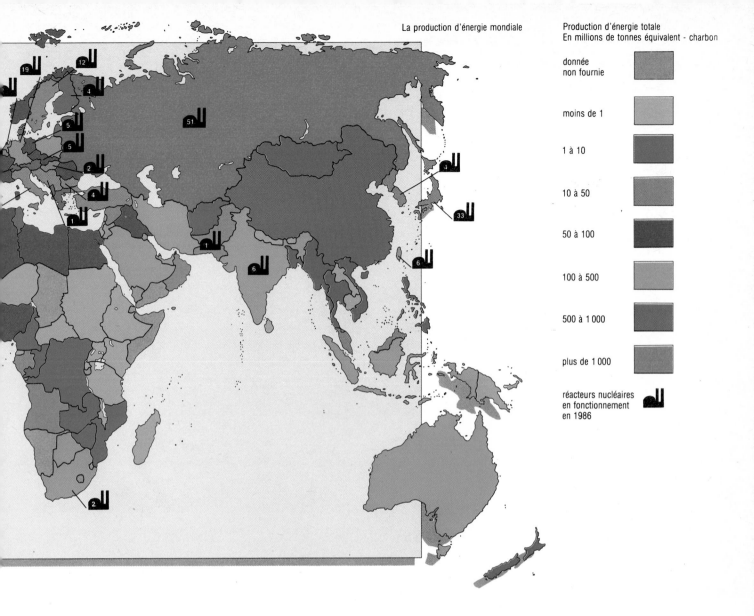

La production d'énergie mondiale

Production d'énergie totale
En millions de tonnes équivalent - charbon

donnée
non fournie

moins de 1

1 à 10

10 à 50

50 à 100

100 à 500

500 à 1 000

plus de 1 000

réacteurs nucléaires
en fonctionnement
en 1986

nq principaux importateurs font partie des dix
incipaux consommateurs, des pays qui ne
oduisent pas suffisamment pour eux-mêmes
amme rouge dans le schéma à gauche).

## L'énergie nucléaire en Europe

La plupart des centrales nucléaires se trouvent
en Europe (voir carte). Le schéma ci-dessous
montre la part prise par le nucléaire dans
l'énergie totale produite par huit pays
européens.

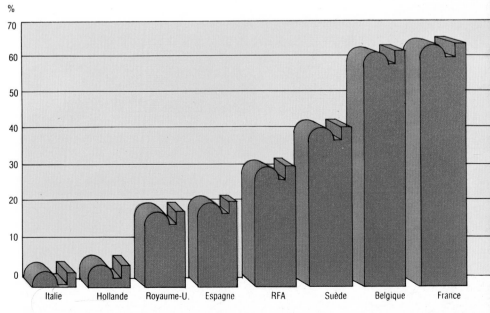

EXPORTATEURS
Arabie saoudite
Mexique
Iran
Indonésie
Royaume-Uni
Nigeria
Venezuela
E.A.U.
Libye
Iraq

37

# 17 Industrie

On considère généralement que la prospérité d'un pays repose sur une production manufacturière puissante. Les débouchés de l'industrie sont le « marché national », et l'exportation si les produits sont de bonne qualité. C'est le cas pour l'Amérique du Nord, l'Europe de l'Ouest et le Japon, qui vendent leur production partout dans le monde.

Certains pays en voie de développement très peuplés comme l'Inde et le Brésil ont un marché tout prêt pour leurs produits, mais d'autres échouent à bâtir une industrie nationale parce que leurs fabrications se vendent difficilement sur le marché mondial. Ils dépendent souvent de leurs exportations de matières premières (agricole ou minières) qui sont ensuite transformées dans les pays développés.

Dans le monde occidental, l'industrie manufacturière est moins importante qu'il y a trente ans. Les « industries de services » ont fait depuis des progrès rapides. Il ne s'agit plus de la production de biens matériels, mais de fourniture de services comme la banque, le tourisme et l'assurance. En Europe de l'Est au contraire, l'industrie manufacturière, principalement destinée au marché intérieur, reste prépondérante. (Voir la répartition des travailleurs par type d'activité dans TRAVAIL.)

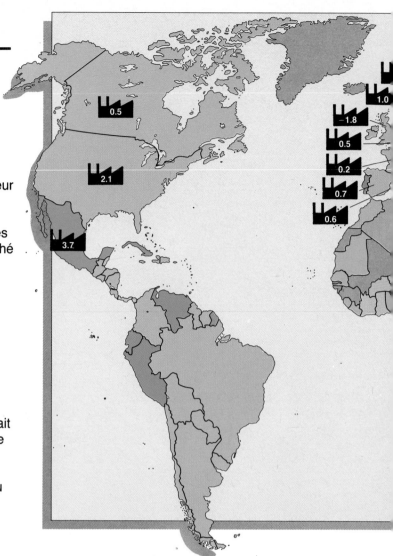

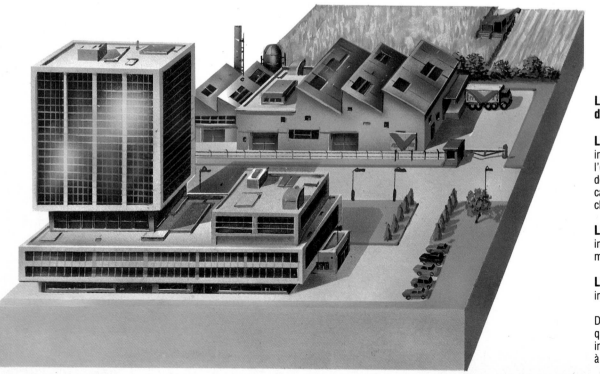

**Les trois types d'industrie :**

**L'industrie primaire**
inclut la pêche, l'exploitation des forêts, des mines et des carrières, ainsi que la chasse et l'agriculture.

**L'industrie secondaire**
inclut toute la production manufacturière.

**L'industrie tertiaire**
inclut tous les services.

De manière générale, quand on parle de pays industriels, on se réfère à l'industrie secondaire.

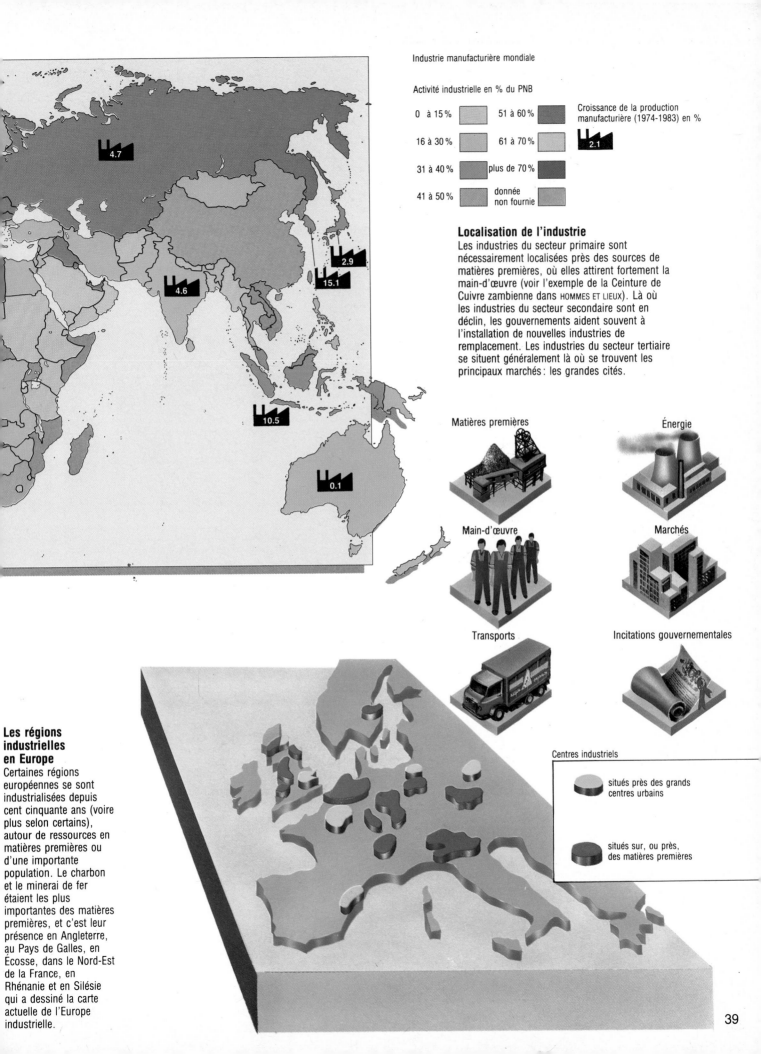

Industrie manufacturière mondiale

Activité industrielle en % du PNB

0 à 15 %

16 à 30 %

31 à 40 %

41 à 50 %

51 à 60 %

61 à 70 %

plus de 70 %

donnée
non fournie

Croissance de la production
manufacturière (1974-1983) en %

2.1

## Localisation de l'industrie

Les industries du secteur primaire sont
nécessairement localisées près des sources de
matières premières, où elles attirent fortement la
main-d'œuvre (voir l'exemple de la Ceinture de
Cuivre zambienne dans HOMMES ET LIEUX). Là où
les industries du secteur secondaire sont en
déclin, les gouvernements aident souvent à
l'installation de nouvelles industries de
remplacement. Les industries du secteur tertiaire
se situent généralement là où se trouvent les
principaux marchés : les grandes cités.

Matières premières

Énergie

Main-d'œuvre

Marchés

Transports

Incitations gouvernementales

## Les régions industrielles en Europe

Certaines régions
européennes se sont
industrialisées depuis
cent cinquante ans (voire
plus selon certains),
autour de ressources en
matières premières ou
d'une importante
population. Le charbon
et le minerai de fer
étaient les plus
importantes des matières
premières, et c'est leur
présence en Angleterre,
au Pays de Galles, en
Écosse, dans le Nord-Est
de la France, en
Rhénanie et en Silésie
qui a dessiné la carte
actuelle de l'Europe
industrielle.

Centres industriels

situés près des grands
centres urbains

situés sur, ou près,
des matières premières

39

# 18 Travail

Il y a trois catégorie de travailleurs, selon l'un des trois secteurs industriels auquel ils appartiennent (voir INDUSTRIE). La proportion des effectifs dans chacun de ces secteurs indique le niveau de développement d'un pays.

Au premier stade du développement, la majorité de la force de travail se trouve dans l'agriculture, et aussi dans les mines. C'était la situation en Europe avant la révolution industrielle, et encore maintenant dans de nombreux pays en voie de développement (voir carte).

À mesure que l'industrie se développe, la force de travail se déplace d'abord vers les usines (voir l'Union soviétique sur la carte), puis vers le secteur des services, qui devient le plus grand consommateur de main-d'œuvre (voir les États-Unis, la Grande-Bretagne et la France sur la carte).

Le chômage est l'un des problèmes les plus graves qui se posent aux gouvernements. Dans les pays industrialisés, les chômeurs reçoivent une aide gouvernementale, mais dans les pays en voie de développement, il n'existe souvent aucun système de secours organisé. C'est ainsi que les cités du tiers monde se peuplent de mendiants.

### Le Pérou
Sur une population totale d'environ 19 millions d'habitants, ce pays d'Amérique latine possède une force de travail de 6 millions de personnes. Une analyse plus détaillée montre la prédominance du secteur primaire. Les 28 % de la catégorie « services et autres » incluent les nombreux travailleurs du secteur parallèle (ou informel).

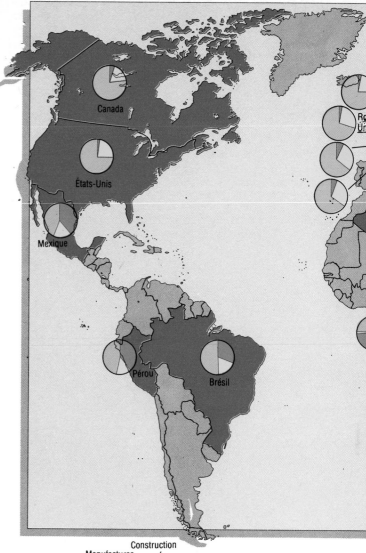

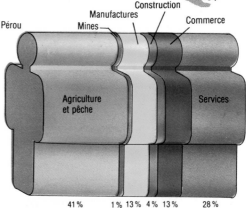

Pérou

Mines — Manufactures — Construction — Commerce

Agriculture et pêche — Services

41 %   1 %   13 %   4 %   13 %   28 %

### Les migrations de travailleurs
Beaucoup de travailleurs, particulièrement dans les pays en voie de développement, doivent s'expatrier très loin pour trouver du travail. La péninsule arabique a ainsi attiré un grand nombre d'émigrants. Presque la moitié de la main-d'œuvre d'Arabie Saoudite est ainsi d'origine étrangère. Les immigrants travaillent essentiellement dans le bâtiment, l'hôtellerie et d'autres services.

Ces étrangers gagnent deux ou trois fois plus que ce qu'ils pourraient obtenir chez eux ; ils demeurent quelques années sur place, expédiant à leur famille l'essentiel de leur salaire. Pour certains pays comme le Pakistan, dont près de 10 % de la force de travail est employée dans les pays arabes, il s'agit d'une importante ressource d'« exportation » qui rapporte des devises fortes.

Autres pays arabes 8 %
Jordanie 23 %
Inde et Pakistan 4 %
Europe et États-Unis 2 %
Autres pays d'Asie 3 %
Egypte et Soudan 17 %
Arabie saoudite 773 000 travailleurs étrangers
Yemen N et S 43 %
Oman 2 %

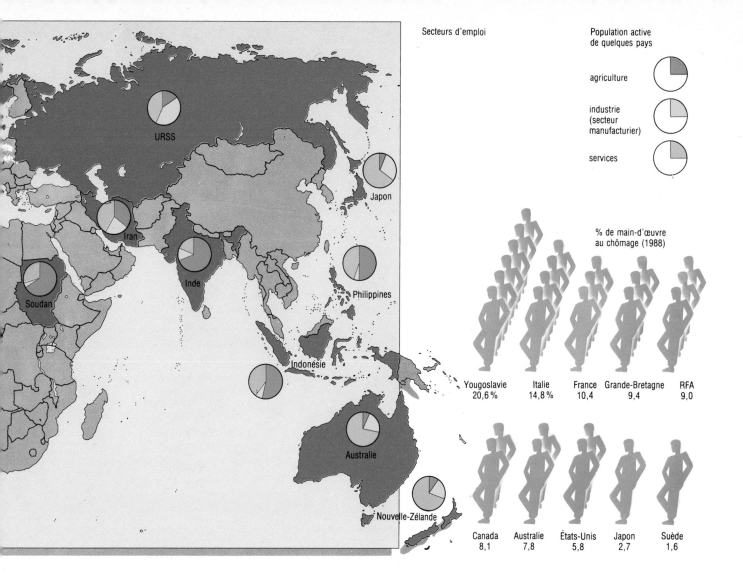

Secteurs d'emploi

Population active
de quelques pays

agriculture

industrie
(secteur
manufacturier)

services

% de main-d'œuvre
au chômage (1988)

| Yougoslavie | Italie | France | Grande-Bretagne | RFA |
|---|---|---|---|---|
| 20,6 % | 14,8 % | 10,4 | 9,4 | 9,0 |

| Canada | Australie | États-Unis | Japon | Suède |
|---|---|---|---|---|
| 8,1 | 7,8 | 5,8 | 2,7 | 1,6 |

## Le chômage

Le chômage n'est pas un phénomène nouveau,
mais il tend à s'aggraver dans certains pays
industrialisés. Il vient souvent du remplacement
des hommes par des machines et de la
concurrence d'autres nations qui rendent non
rentable la production nationale, ce qui conduit
à licencier des travailleurs et fermer des usines.
L'action de l'État a également son importance.

## L'emploi dans le tiers monde

Les statistiques de l'emploi et du chômage dans
le tiers monde sont souvent difficiles à obtenir
et peu fiables. Un grand nombre de personnes
travaillent dans ce que l'on appelle « l'économie
parallèle », ou « le secteur informel » en petits
groupes ou isolément, comme marchands,
tailleurs, mécanos, cordonniers, cireurs de
chaussures ou dans beaucoup d'autres services
similaires.

# 19 Développement

Les pays d'Amérique du Nord et de l'Europe de l'Ouest, auxquels il faut rajouter le Japon, l'Australie et la Nouvelle-Zélande, sont souvent dits «développés». Ce sont des nations industrialisées et urbanisées dont les habitants jouissent d'un niveau de vie élevé. À l'autre bout de l'échelle, on trouve les pays «sous-développés», ou «en voie de développement» comme le Bangladesh, l'Éthiopie et bien d'autres.

Bien que les différences entre ces deux catégories soient claires, il n'y a pas de nations totalement développées ou totalement sous-développées. Pour définir ces différents niveaux, on utilise certains indicateurs économiques, mais tous les spécialistes ne sont pas d'accord sur les lignes de partage.

La carte montre la classification établie par la Banque mondiale, un organisme international qui finance et contrôle les programmes de développement dans les pays pauvres. À travers tout cet ouvrage, se trouvent dispersées des indications sur le niveau de développement dans différents pays. Voyez, par exemple, les niveaux d'urbanisation dans HOMMES ET LIEUX, des infrastructures médicales dans SANTÉ, de la production d'énergie dans ÉNERGIE, la structure de l'emploi dans TRAVAIL et le nombre de postes téléphoniques pour mille habitants dans MÉDIA ET COMMUNICATIONS.

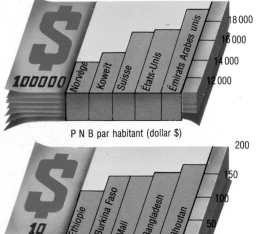
P N B par habitant (dollar $)

### Les plus riches et les plus pauvres

Le produit national brut (PNB) est l'une des mesures possibles du niveau de développement d'un pays. C'est le total de la valeur des biens et services produits par ce pays ; le PNB par tête est une approximation du revenu moyen par habitant, même si des différences flagrantes apparaissent à l'intérieur d'une même population. L'un des problèmes que pose l'utilisation du PNB est le fait que les pays communistes ne publient pas ce genre de statistiques.

En tant qu'indicateur de développement, le PNB n'est pas parfait. Si les Émirats Arabes unis font ainsi partie des cinq pays les plus riches, ils sont à bien des égards moins développés que de nombreuses nations européennes (voir les soins médicaux dans SANTÉ et le nombre de postes téléphoniques pour mille habitants dans MÉDIA ET COMMUNICATIONS.

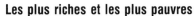

### Division selon le revenu

Comment se divise le monde si on considère le PNB par tête ? Près de la moitié de la population du globe vit dans des pays où le niveau moyen annuel par habitant est inférieur à 400 dollars.

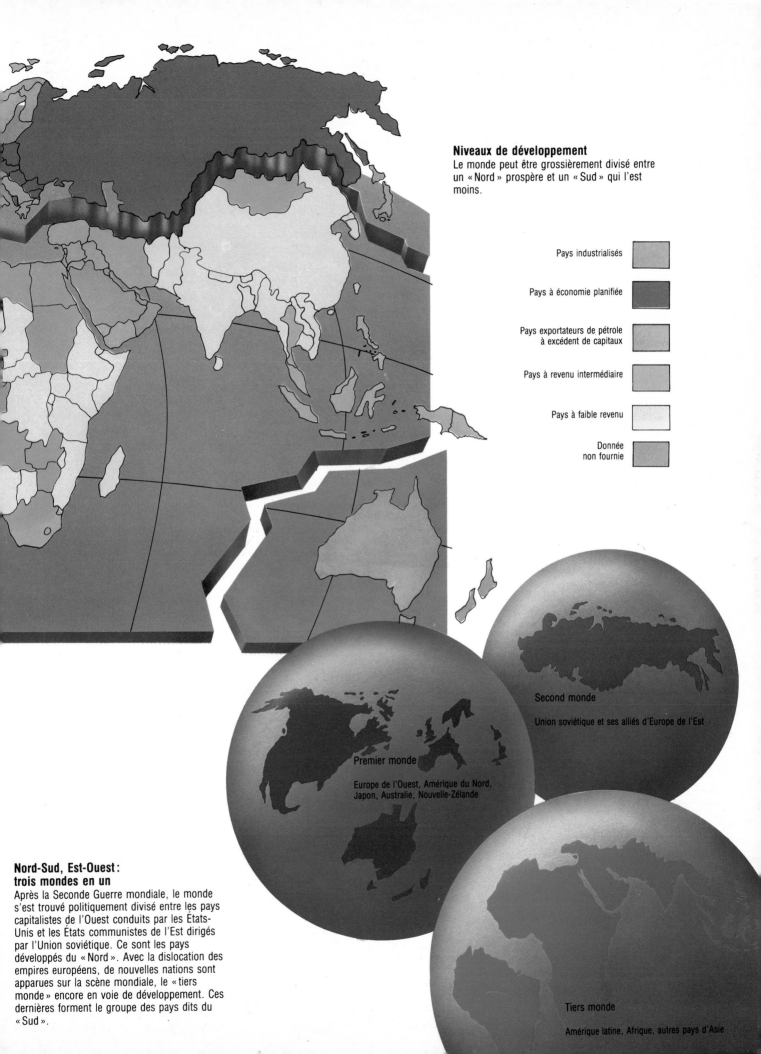

## Niveaux de développement
Le monde peut être grossièrement divisé entre un « Nord » prospère et un « Sud » qui l'est moins.

Pays industrialisés

Pays à économie planifiée

Pays exportateurs de pétrole à excédent de capitaux

Pays à revenu intermédiaire

Pays à faible revenu

Donnée non fournie

**Second monde**

Union soviétique et ses alliés d'Europe de l'Est

**Premier monde**

Europe de l'Ouest, Amérique du Nord, Japon, Australie, Nouvelle-Zélande

## Nord-Sud, Est-Ouest : trois mondes en un
Après la Seconde Guerre mondiale, le monde s'est trouvé politiquement divisé entre les pays capitalistes de l'Ouest conduits par les États-Unis et les États communistes de l'Est dirigés par l'Union soviétique. Ce sont les pays développés du « Nord ». Avec la dislocation des empires européens, de nouvelles nations sont apparues sur la scène mondiale, le « tiers monde » encore en voie de développement. Ces dernières forment le groupe des pays dits du « Sud ».

**Tiers monde**

Amérique latine, Afrique, autres pays d'Asie

# 20 Aide internationale

Il existe de nombreuses voies par lesquelles s'exerce l'aide des pays riches en faveur des pays plus pauvres. Néanmoins, il s'agit rarement de cadeaux purs et simples. Les nations bénéficiaires s'engagent généralement à acheter au pays donateur les biens et les services dont ils ont besoin. Même lorsque les pays nantis dispensent une aide alimentaire d'urgence, c'est aussi pour eux une occasion de se débarrasser de leurs surplus agricoles.

Trois groupes de pays accordent leur aide : les pays occidentaux regroupés dans l'Organisation de Coopération et de Développement économique (OCDE), les pays communistes et le bloc soviétique, et les grands producteurs de pétrole de l'Organisation des Pays Exportateurs de Pétrole (OPEP). Quelques pays reçoivent et donnent à la fois. L'Arabie et le Venezuela, par exemple, reçoivent des aides en échange de rabais sur le pétrole.

L'aide peut être « bilatérale », ce qui signifie qu'un accord particulier est individuellement conclu entre deux pays. L'autre forme d'aide principale consiste à subventionner des organisations internationales comme les diverses agences de l'Organisation des Nations unies (ONU). En dehors des gouvernements, il existe aussi des organismes caritatifs privés qui distribuent une aide importante.

Pays capitalistes

Aide du bloc soviétique : bénéficiaires

100 %
90 %
80 %
70 %
60 %
50 %
40 %
30 %
20 %
10 %

Viêt-nam  Cuba  Mongolie  Afghanistan  Éthiopie  Inde  autres

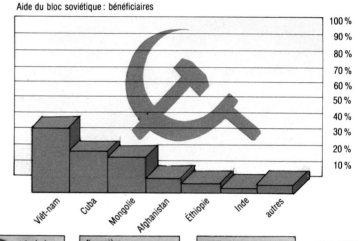

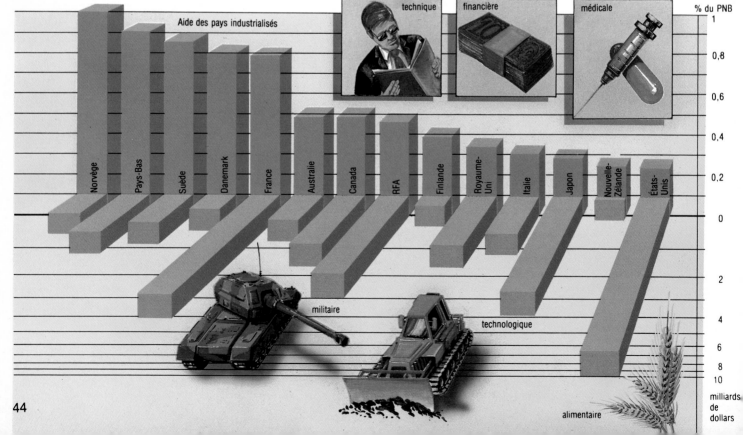

Aide des pays industrialisés

technique    financière    médicale

% du PNB
1
0,8
0,6
0,4
0,2
0

Norvège  Pays-Bas  Suède  Danemark  France  Australie  Canada  RFA  Finlande  Royaume-Uni  Italie  Japon  Nouvelle-Zélande  États-Unis

militaire

technologique

2
4
6
8
10
milliards
de
dollars

alimentaire

## Le bloc soviétique

Les pays les plus riches du CAEM apportent leur aide aux pays communistes plus pauvres et à d'autres. En ce qui concerne le Viêt-nam, pays ravagé par la guerre de la fin des années soixante au début des années soixante-dix, l'aide a surtout porté sur les centrales thermiques, l'infrastructure, les industries pétrolières et les travaux d'irrigation. Pour la Mongolie, troisième bénéficiaire en importance du CAEM et deuxième de l'URSS, les dépenses ont été principalement consacrées aux mines et à l'agriculture, en particulier l'élevage. Un grand nombre de ressortissants de ces pays viennent en outre recevoir formation et éducation en URSS et d'autres pays de l'Europe de l'est.

## Les pays occidentaux développés

Les États-Unis sont les donateurs les plus importants en volume, mais c'est un pays très riche. Si on rapporte l'aide distribuée au PNB national, la Norvège est la plus généreuse des nations. Quelques pays de l'OPEP donnent plus de 2% de leur revenu national.

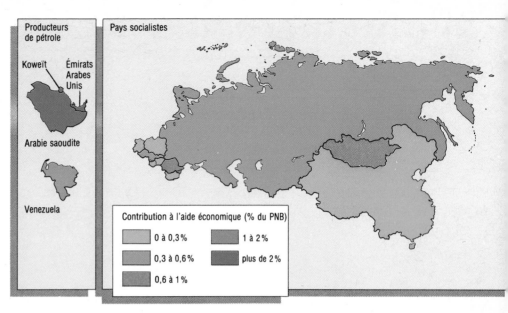

Producteurs de pétrole — Koweït, Émirats Arabes Unis, Arabie saoudite, Venezuela

Pays socialistes

Contribution à l'aide économique (% du PNB)
- 0 à 0,3%
- 0,3 à 0,6%
- 0,6 à 1%
- 1 à 2%
- plus de 2%

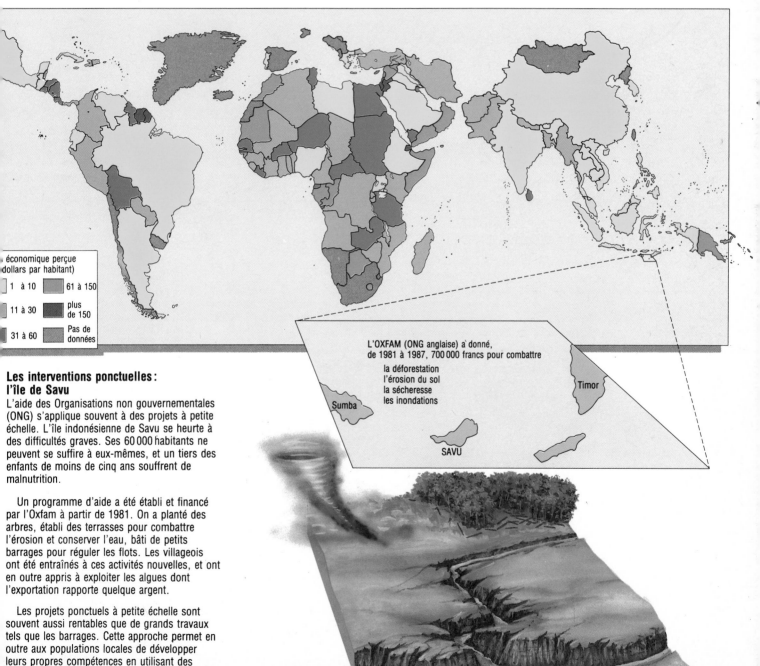

économique perçue (dollars par habitant)
- 1 à 10
- 11 à 30
- 31 à 60
- 61 à 150
- plus de 150
- Pas de données

L'OXFAM (ONG anglaise) a donné, de 1981 à 1987, 700 000 francs pour combattre
la déforestation
l'érosion du sol
la sécheresse
les inondations

Sumba    SAVU    Timor

## Les interventions ponctuelles : l'île de Savu

L'aide des Organisations non gouvernementales (ONG) s'applique souvent à des projets à petite échelle. L'île indonésienne de Savu se heurte à des difficultés graves. Ses 60 000 habitants ne peuvent se suffire à eux-mêmes, et un tiers des enfants de moins de cinq ans souffrent de malnutrition.

Un programme d'aide a été établi et financé par l'Oxfam à partir de 1981. On a planté des arbres, établi des terrasses pour combattre l'érosion et conserver l'eau, bâti de petits barrages pour réguler les flots. Les villageois ont été entraînés à ces activités nouvelles, et ont en outre appris à exploiter les algues dont l'exportation rapporte quelque argent.

Les projets ponctuels à petite échelle sont souvent aussi rentables que de grands travaux tels que les barrages. Cette approche permet en outre aux populations locales de développer leurs propres compétences en utilisant des méthodes très simples.

# 21 Commerce

Le commerce revêt une importance vitale pour l'économie d'un pays : le produit des ventes permet d'acheter à l'extérieur les biens qui manquent. Généralement, plus un pays est étendu et plus petits sont ses échanges internationaux si on les mesure proportionnellement à son PNB, puisque les pays importants possèdent souvent d'amples ressources propres. Aux États-Unis, par exemple, la valeur des importations et celle des exportations sont chacune inférieure à 10 % du PNB. Aux Pays-Bas, ces chiffres atteignent presque 50 %. Néanmoins, le PNB des États-Unis est tellement colossal qu'ils sont la première puissance commerciale du monde.

De nombreux pays en voie de développement subissent l'inconvénient de dépendre d'un seul produit d'exportation (voir Oman et le pétrole à droite). Si la valeur du produit sur le marché mondial est élevée, le pays peut être prospère, ce qui est souvent le cas pour les exportateurs de pétrole. Mais, souvent, le prix des matières premières telles que le café, le sucre, le cuivre ou l'étain exportées par le tiers monde subit de fortes fluctuations d'une année à l'autre, ce qui rend impossible toute prévision des recettes d'exportation.

Les producteurs de matières premières du tiers monde ont souvent cherché à s'unir pour stabiliser les prix, mais ont presque toujours échoué, à l'exception des exportateurs de pétrole.

### L'exemple des États-Unis

Contrairement à un pays comme le Sultanat d'Oman, qui ne commerce qu'avec un petit nombre de nations, les États-Unis ont de nombreux partenaires commerciaux, les principaux étant le Canada, le Mexique, le Japon et le Royaume-Uni.

En outre, les produits qu'ils exportent sont largement diversifiés, ce qui est plus sain d'un point de vue économique. Depuis les années 80 cependant, la valeur de leurs importations est très supérieure à celle de leurs exportations. Ce « déficit commercial » pèse lourd sur l'économie américaine.

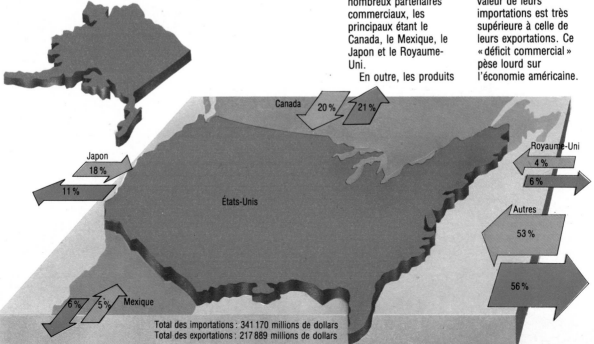

Canada 20 % 21 %

Japon 18 % 11 %

Royaume-Uni 4 % 6 %

Autres 53 % 56 %

États-Unis

Mexique 6 % 5 %

Total des importations : 341 170 millions de dollars
Total des exportations : 217 889 millions de dollars

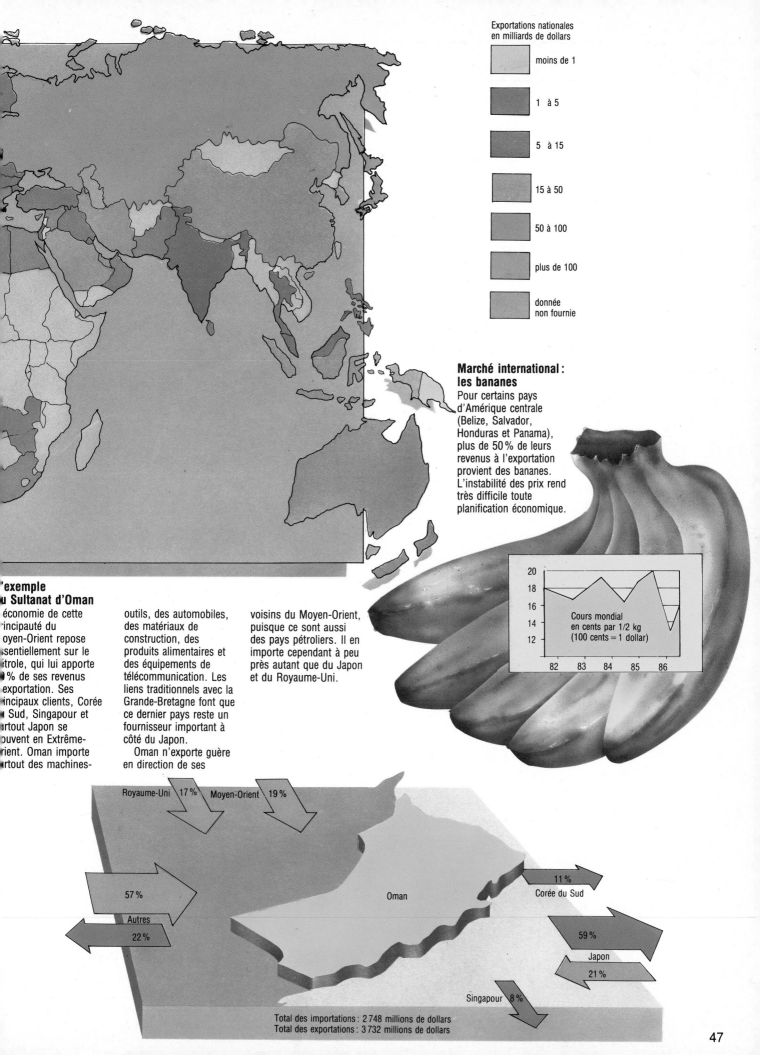

Exportations nationales
en milliards de dollars

moins de 1

1 à 5

5 à 15

15 à 50

50 à 100

plus de 100

donnée
non fournie

## Marché international : les bananes

Pour certains pays
d'Amérique centrale
(Belize, Salvador,
Honduras et Panama),
plus de 50 % de leurs
revenus à l'exportation
provient des bananes.
L'instabilité des prix rend
très difficile toute
planification économique.

Cours mondial
en cents par 1/2 kg
(100 cents = 1 dollar)

82  83  84  85  86

## l'exemple du Sultanat d'Oman

économie de cette
principauté du
Moyen-Orient repose
essentiellement sur le
pétrole, qui lui apporte
% de ses revenus
exportation. Ses
principaux clients, Corée
Sud, Singapour et
surtout Japon se
trouvent en Extrême-
Orient. Oman importe
surtout des machines-

outils, des automobiles,
des matériaux de
construction, des
produits alimentaires et
des équipements de
télécommunication. Les
liens traditionnels avec la
Grande-Bretagne font que
ce dernier pays reste un
fournisseur important à
côté du Japon.

Oman n'exporte guère
en direction de ses

voisins du Moyen-Orient,
puisque ce sont aussi
des pays pétroliers. Il en
importe cependant à peu
près autant que du Japon
et du Royaume-Uni.

Royaume-Uni  17 %    Moyen-Orient  19 %

57 %

Autres
22 %

Oman

11 %
Corée du Sud

59 %
Japon
21 %

Singapour  8 %

Total des importations : 2 748 millions de dollars
Total des exportations : 3 732 millions de dollars

# 22 Tourisme et loisirs

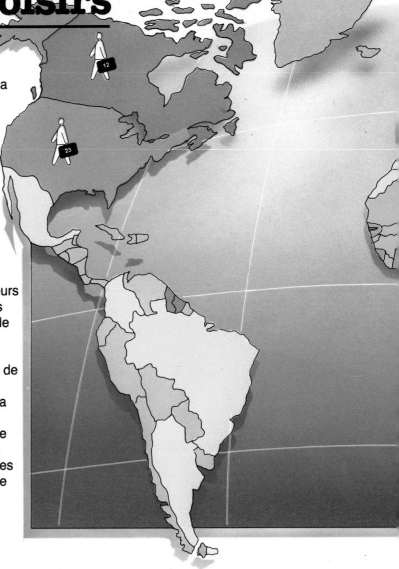

Le tourisme international s'est très fortement développé depuis une trentaine d'années, et la plupart des touristes proviennent des pays industrialisés. Le phénomène est facile à comprendre : la rapidité des transports a raccourci les distances, et les citoyens occidentaux ont souvent les moyens de s'offrir des vacances à l'étranger.
En Europe, les migrations touristiques se font surtout vers le sud, à la recherche du soleil et de la chaleur.

L'argent dépensé par les touristes est une source de revenus utile pour les pays visités. Les pays communistes accueillent les voyageurs étrangers parce qu'ils apportent des « devises fortes », mais limitent strictement leur liberté de déplacement.

Pour les pays pauvres, le tourisme apporte de l'argent et crée aussi des emplois dans l'hôtellerie, le commerce et l'artisanat local. La Tunisie, par exemple, a systématiquement développé son industrie touristique depuis une dizaine d'années. Cependant, le tourisme n'a pas que des effets positifs (voir ci-dessous), les emplois ne durent souvent que le temps d'une courte saison, et les destinations à la mode peuvent changer.

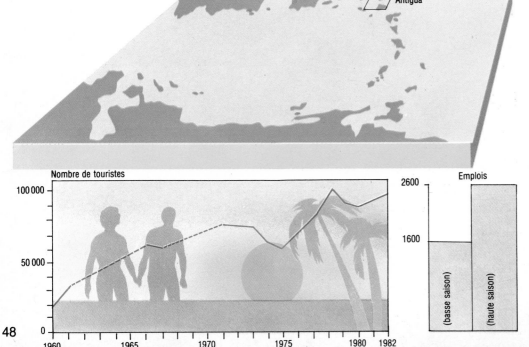

**L'impact du tourisme sur un petit pays en voie de développement : Antigua**
Cette petite île des Caraïbes est devenue un p d'attraction pour le tourisme international. 2 000 emplois ont été créés à Antigua et dans l'île voisine de Barbade, qui totalisent à elles deux 80 000 habitants. Cela représente enviro un cinquième du PNB.

Mais le développement du tourisme ne va sans problèmes. Les emplois sont saisonnier et l'effectif des touristes varie fortement d'un année à l'autre : 1975 et 1976, par exemple, été de mauvaises années dans toutes les Antilles. Beaucoup d'hôtels appartiennent à d sociétés étrangères qui réexportent leurs prof De même, si la restauration touristique utilise les produits de la pêche locale, les autres produits alimentaires sont généralement importés de l'extérieur. En outre, l'étalage du niveau de vie supérieur des visiteurs crée un sentiment d'amertume parmi la population locale.

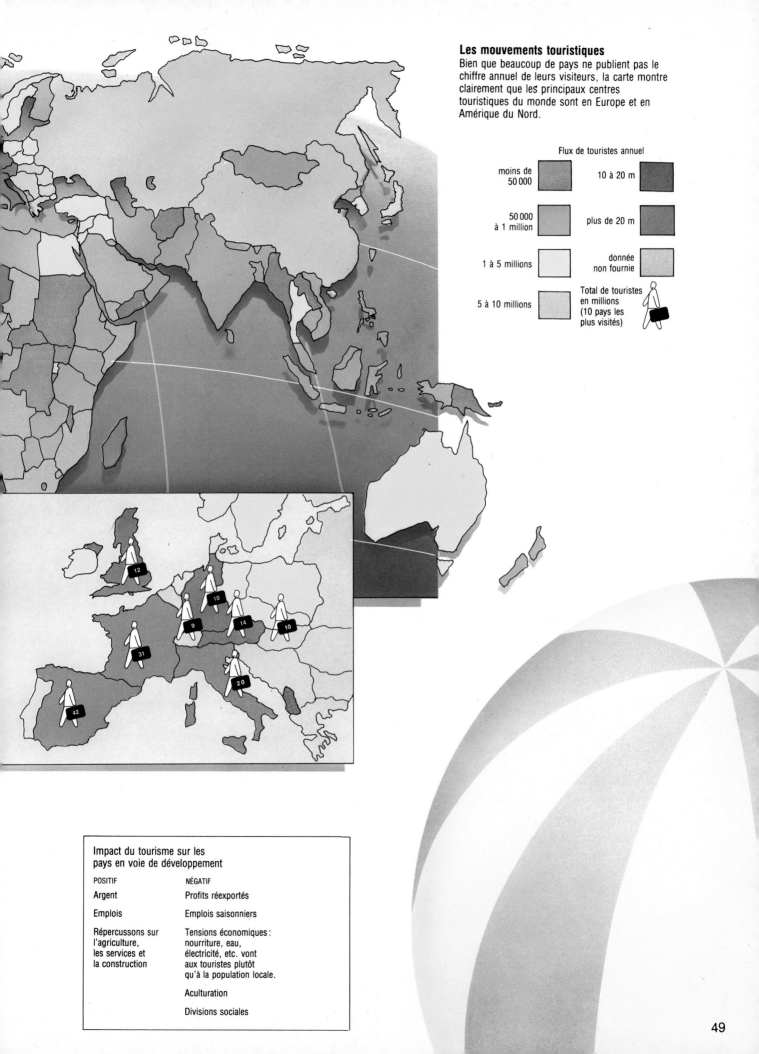

## Les mouvements touristiques

Bien que beaucoup de pays ne publient pas le chiffre annuel de leurs visiteurs, la carte montre clairement que les principaux centres touristiques du monde sont en Europe et en Amérique du Nord.

### Flux de touristes annuel

| | |
|---|---|
| moins de 50 000 | 10 à 20 m |
| 50 000 à 1 million | plus de 20 m |
| 1 à 5 millions | donnée non fournie |
| 5 à 10 millions | Total de touristes en millions (10 pays les plus visités) |

### Impact du tourisme sur les pays en voie de développement

| POSITIF | NÉGATIF |
|---|---|
| Argent | Profits réexportés |
| Emplois | Emplois saisonniers |
| Répercussons sur l'agriculture, les services et la construction | Tensions économiques : nourriture, eau, électricité, etc. vont aux touristes plutôt qu'à la population locale. |
| | Aculturation |
| | Divisions sociales |

49

# 23 Transports

La population des pays riches se déplace généralement davantage que celle des pays pauvres. Comme on le voit sur la carte, il y a beaucoup plus de voitures et de bus par rapport aux nombre d'habitants en Amérique du Nord, en Europe occidentale, en Australie et en Nouvelle-Zélande. Dans les pays africains, les véhicules motorisés sont nombreux dans les grandes villes, mais rares et dispersés dans les campagnes. Les paysans n'ont pas les moyens d'acheter une automobile dont ils n'auraient d'ailleurs que faire, et les routes sont rares.

Le transport aérien lui aussi a pris une très grande extension depuis la dernière guerre. Apanage des pays riches, il est beaucoup plus rapide que le transport maritime. Quant à ce dernier, s'il s'est multiplié par cinq en terme de tonnage, le nombre des navires n'a pratiquement pas bougé. Ils sont simplement devenus plus grands, comme en témoignent les superpétroliers.

Dans les pays industrialisés, le rail a cédé du terrain au profit du transport routier. Il joue néanmoins un rôle encore important dans l'Europe communiste et de nombreux pays du tiers monde, principalement pour les marchandises.

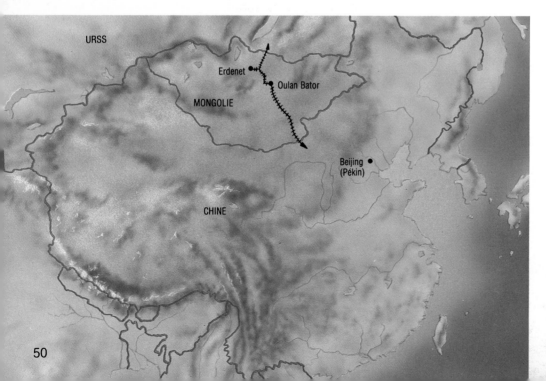

## Le chemin de fer transmongolien : une artère vitale

Dans les années vingt encore, la République de Mongolie était très arriérée. Elle a atteint depuis un développement moyen, avec un fort soutien de l'URSS. L'une des clés de cette réussite fut le chemin de fer achevé en 1956, qui lui permet d'exporter des produits d'élevage et des minerais, et d'importer des machines-outils, de la nourriture et des équipements. La construction fut difficile : il fallut traverser le désert de Gobi au sud, et les terres instables du nord, gelées l'hiver, marécageuses l'été.

Beaucoup d'autres pays « enclavés », c'est-à-dire dépourvus de façade maritime, dépendent ainsi fortement du transport ferroviaire. Citons par exemple la Bolivie et la Zambie.

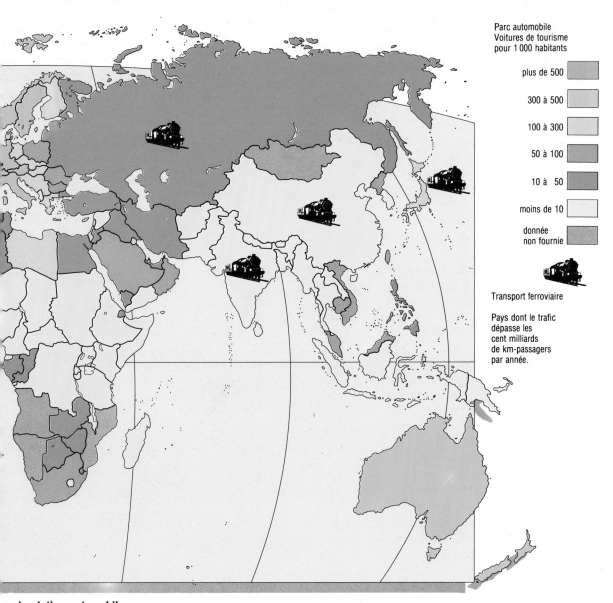

**Parc automobile**
Voitures de tourisme
pour 1 000 habitants

| | |
|---|---|
| plus de 500 | |
| 300 à 500 | |
| 100 à 300 | |
| 50 à 100 | |
| 10 à 50 | |
| moins de 10 | |
| donnée non fournie | |

Transport ferroviaire

Pays dont le trafic dépasse les cent milliards de km-passagers par année.

## a circulation automobile

ans certains pays riches, si toutes les voitures e mettaient à rouler en même temps, la irculation serait totalement paralysée. A Hong ong, il y a 4,10 m de route par véhicule. illeurs, les embouteillages sont une aractéristique des grandes cités. A lagos, apitale du Nigeria, le chaos est tel que les éhicules immatriculés d'un nombre pair n'ont e droit de circuler que le lundi, le mercredi et le endredi, et les autres le mardi, le jeudi et le amedi. Les automobilistes fortünés possèdent eux véhicules, l'un avec une plaque paire, autre avec une plaque impaire.

## Les voyages aériens

Avec 500 milliards de kilomètre-passagers en 1985, les compagnies aériennes de transports de passagers américaines sont loin devant le reste du monde. La majorité de leurs clients circulent sur les lignes intérieures. Il en va de même pour Aeroflot, la compagnie nationale soviétique, alors que les compagnies appartenant à des pays plus petits transportent proportionnellement davantage de voyageurs sur leurs lignes internationales.

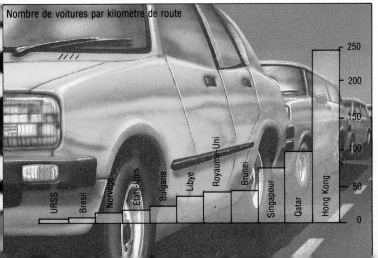

Nombre de voitures par kilomètre de route

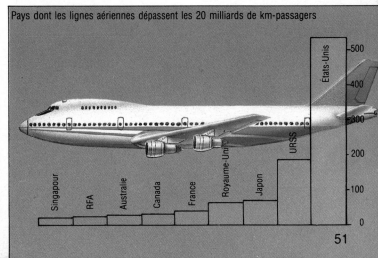

Pays dont les lignes aériennes dépassent les 20 milliards de km-passagers

# 24 Médias et communications

Le domaine des communications a connu une véritable révolution au cours du xxe siècle. Avec la radio, le téléphone, la télévision, et l'usage des câbles sous-marins, des satellites et des ordinateurs, leur vitesse s'est fantastiquement accrue. Désormais, les nouvelles vont très vite, et les événements nous sont connus dans un délai de quelques minutes ou quelques heures.

Les possibilités sont souvent plus grandes dans les pays industrialisés. Aux États-Unis par exemple, on trouve 80 postes téléphoniques pour 100 habitants, pour moins d'un seul en Chine. De même, les retransmissions par satellites permettent un très large choix de programmes aux téléspectateurs d'Amérique du Nord et d'Europe, alors que dans beaucoup d'autres pays il n'existe qu'un tout petit nombre de chaînes, souvent sous le monopole de l'État.

Par ses programmes éducatifs et ses informations, la radio est un instrument de développement utile dans les campagnes du tiers monde. Les récepteurs sont relativement bon marché, on peut les écouter en groupe, et les programmes sont compris par les populations illettrées. L'importance de cette audience a conduit de nombreux pays à créer des programmes d'émissions destinées à l'étranger (à droite).

## La révolution des communications

Elle a été rendue possible par les progrès de la technologie des satellites et des ordinateurs. Ces derniers permettent de conserver de grandes quantités d'informations et de maîtriser des systèmes complexes tels que les réseaux téléphoniques. Quant aux satellites, ils permettent de transmettre rapidement les nouvelles, aussi bien que de collecter des éléments d'information sur la météorologie ou d'autres événements naturels n'importe où dans le monde. Aujourd'hui, plus de 300 satellites gravitent en orbite autour de la Terre.

Diffusion de journaux (quotidiens) pour 1 000 habitants

## Le téléphone

Nombre de postes pour mille habitants. Les transmissions téléphoniques se font par des câbles terrestres ou sous-marins, ainsi que par satellite.

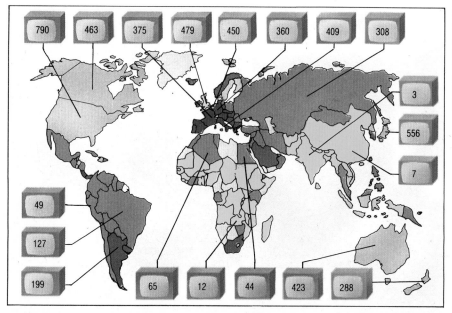

Téléphones pour 1 000 habitants

- 0 à 10
- 11 à 100
- 101 à 250
- 251 à 500
- 501 à 850

Postes de télévision pour 1 000 habitants

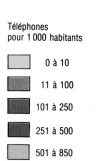

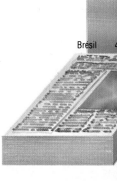

Brésil

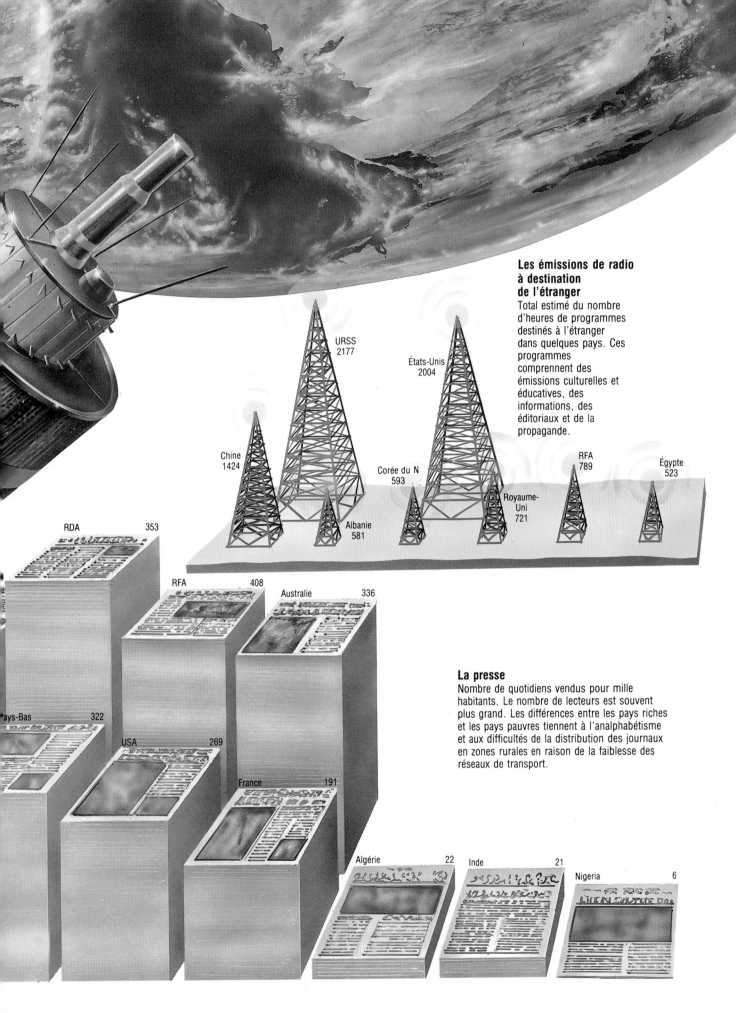

**Les émissions de radio
à destination
de l'étranger**
Total estimé du nombre
d'heures de programmes
destinés à l'étranger
dans quelques pays. Ces
programmes
comprennent des
émissions culturelles et
éducatives, des
informations, des
éditoriaux et de la
propagande.

URSS
2177

États-Unis
2004

Chine
1424

Corée du N
593

RFA
789

Égypte
523

Albanie
581

Royaume-
Uni
721

RDA          353

RFA          408

Australie      336

Pays-Bas      322

USA          269

France        191

**La presse**
Nombre de quotidiens vendus pour mille
habitants. Le nombre de lecteurs est souvent
plus grand. Les différences entre les pays riches
et les pays pauvres tiennent à l'analphabétisme
et aux difficultés de la distribution des journaux
en zones rurales en raison de la faiblesse des
réseaux de transport.

Algérie      22      Inde      21

Nigeria        6

# 25 Langues, religions et cultures

La langue, la religion et la culture d'un peuple sont étroitement liées. Ainsi, beaucoup de musulmans font partie d'un monde arabe qui va de la Mauritanie au Pakistan à travers l'Afrique du Nord et le Moyen-Orient. La plupart des musulmans ont une langue commune : l'arabe. Dans le même temps, beaucoup de Marocains, d'Algériens et de Tunisiens parlent aussi le français, car leurs pays ont fait naguère partie de l'Empire français.

En Amérique latine, du Mexique à l'Argentine, le catholicisme et l'espagnol dominent. C'est là l'héritage de l'Espagne, qui a gouverné ces pays pendant 200 à 300 ans à partir du XVIe siècle. Partout cependant, existent des foyers de langues et de cultures indigènes qui remontent à l'époque pré-coloniale.

Officiellement, les régimes communistes interdisent les pratiques religieuses, mais les cultes se maintiennent souvent dans la clandestinité.

A travers toute l'Histoire, conquérants et gouvernants ont tenté d'exercer une influence culturelle. La « Révolution culturelle » chinoise des années 60 et 70 a tenté ainsi un bouleversement total et parfois violent du mode de vie des Chinois.

## Les langues principales

Cinq langues se partagent presque 40% de la population mondiale. Si le Guoyo ne se parle guère qu'en Chine, l'anglais est largement répandu en Australie, aux Bahamas, au Canada, à Chypre, en Inde, à la Jamaïque, au Kenya, en Malaisie, à Malte, en Nouvelle-Zélande, au Nigeria, au Pakistan, en Sierra-Leone, à Singapour, en Afrique du Sud, au Sri-Lanka, en Tanzanie, à Trinidad et Tobago, en Ouganda, au Royaume-Uni, aux États-Unis et au Zimbabwe.

Guoyo (Chine du nord)

Russe

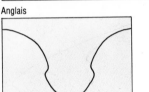

Anglais

1 % de la population mondiale

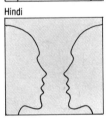

Hindi

Espagnol

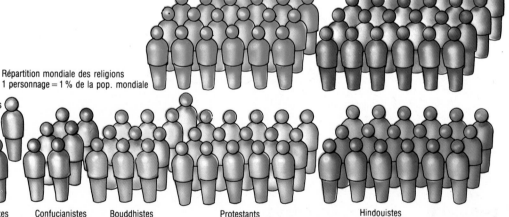

Musulmans   Catholiques

Répartition mondiale des religions
1 personnage = 1 % de la pop. mondiale

Shintoïstes   Taoïstes

Juifs   Orthodoxes   Confucianistes   Bouddhistes   Protestants   Hindouistes

## L'influence de la religion

On ne peut sous-estimer l'influence de la religion et de ses dignitaires sur les peuples. En Iran par exemple, le pouvoir est aux mains d'un leader religieux, l'Ayatollah Khomeyni (voir GOUVERNEMENT). La Révolution qui l'a porté au pouvoir en 1979 était une réaction aux tentatives de transformation de la culture iranienne par le Shah. Ce dernier voulait occidentaliser son pays, mais la rapidité du changement et la brutalité de la répression ont provoqué le soulèvement.

Dans l'Iran d'aujourd'hui, les valeurs islamiques traditionnelles ont de nouveau cours. Les femmes marchent voilées dans la rue, et les dignitaires religieux occupent l'avant-scène du pouvoir.

Huit grandes religions

| RELIGION | RÉPARTITION PAR RÉGION | NAISSANCE | FONDATEUR |
|---|---|---|---|
| Hindouïsme | Inde | 2 000 av. J.-C. | pas de fondateur |
| Judaïsme | Israël, États-Unis, URSS | 1200 av. J.-C. | Abraham |
| Shintoïsme | Japon | vers 600 av. J.-C. | pas de fondateur |
| Taoïsme | Chine | vers 500 av. J.-C. | Laozi |
| Bouddhisme | Extrême-Orient et Asie du Sud-Est | vers 500 av. J.-C. | Siddharta Gautama (Bouddha) |
| Christianisme | Europe, Amérique du Nord et du Sud | | Jésus-Christ |
| Islamisme | De l'Afrique de l'Ouest à l'Indonésie | 622 apr. J.-C. | Mahomet |
| Sikhisme | Pendjab (Inde) | vers 1500 apr. J.-C. | Guru Nanak |

# Les langues du monde

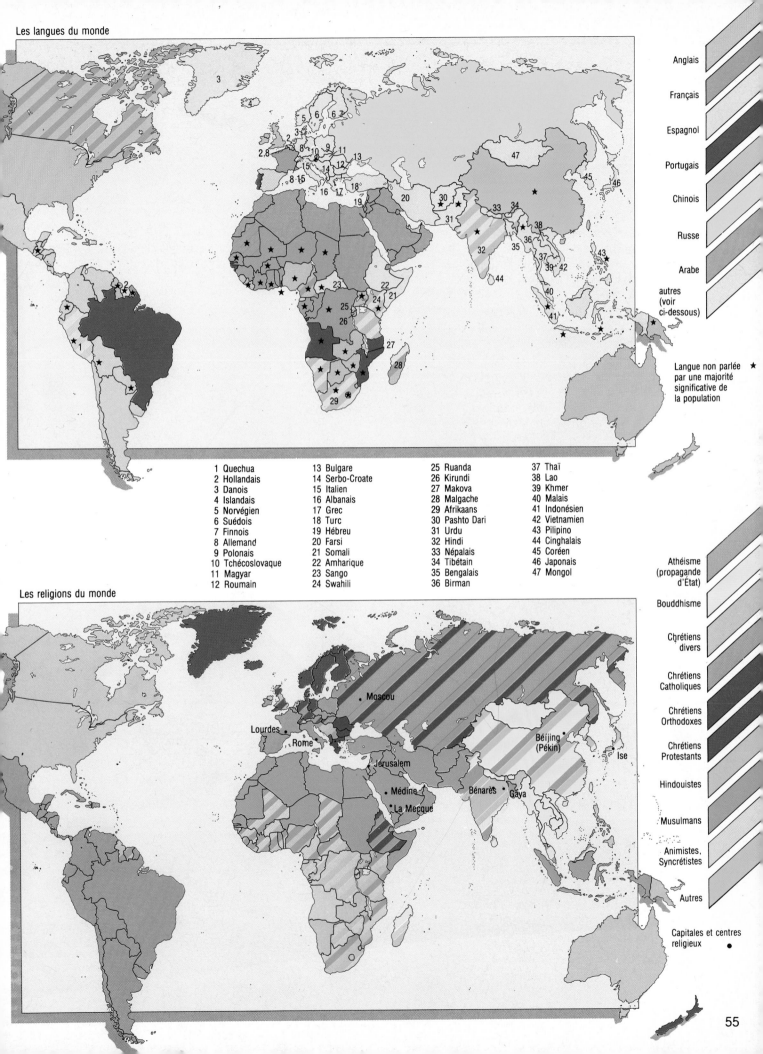

Anglais

Français

Espagnol

Portugais

Chinois

Russe

Arabe

autres
(voir
ci-dessous)

Langue non parlée
par une majorité
significative de
la population ★

| | | | |
|---|---|---|---|
| 1 Quechua | 13 Bulgare | 25 Ruanda | 37 Thaï |
| 2 Hollandais | 14 Serbo-Croate | 26 Kirundi | 38 Lao |
| 3 Danois | 15 Italien | 27 Makova | 39 Khmer |
| 4 Islandais | 16 Albanais | 28 Malgache | 40 Malais |
| 5 Norvégien | 17 Grec | 29 Afrikaans | 41 Indonésien |
| 6 Suédois | 18 Turc | 30 Pashto Dari | 42 Vietnamien |
| 7 Finnois | 19 Hébreu | 31 Urdu | 43 Pilipino |
| 8 Allemand | 20 Farsi | 32 Hindi | 44 Cinghalais |
| 9 Polonais | 21 Somali | 33 Népalais | 45 Coréen |
| 10 Tchécoslovaque | 22 Amharique | 34 Tibétain | 46 Japonais |
| 11 Magyar | 23 Sango | 35 Bengalais | 47 Mongol |
| 12 Roumain | 24 Swahili | 36 Birman | |

# Les religions du monde

Athéisme
(propagande
d'État)

Bouddhisme

Chrétiens
divers

Chrétiens
Catholiques

Chrétiens
Orthodoxes

Chrétiens
Protestants

Hindouistes

Musulmans

Animistes,
Syncrétistes

Autres

Capitales et centres
religieux ●

Moscou

Lourdes

Rome

Jérusalem

Médine

La Mecque

Bénarès

Gaya

Béijing
(Pékin)

Ise

55

# 26 Éducation

L'éducation est d'importance primordiale, puisque c'est ce qui permet à l'enfant de devenir un adulte responsable. La carte indique des taux de « scolarisation ». L'importance du savoir et de la sagesse apportés par l'expérience de la vie est tout aussi grande, mais bien plus difficile à mesurer.

On voit que dans beaucoup de pays, et particulièrement en Afrique, la moitié des enfants n'ont même pas reçu d'instruction primaire. Souvent, c'est simplement par manque d'écoles. Il n'est donc pas étonnant que la majorité des adultes de ces pays soit analphabète (ne sachant ni lire ni écrire). Presque partout, les hommes sont en moyenne plus instruits que les femmes.

Dans presque tous les pays, la scolarité est obligatoire, mais souvent la loi n'est pas appliquée, parfois par manque d'écoles ou d'enseignants, et parfois aussi parce qu'à certaines périodes de l'année on a besoin des enfants pour les travaux des champs.

**Les dépenses d'éducation**
Proportion du PNB consacrée aux dépenses d'éducation par quelques États (voir DÉVELOPPEMENT).

**Le rapport enseignés-enseignant**
Le nombre moyen d'élèves à la charge d'un enseignant varie énormément d'un pays à l'autre. Moins il y a d'élèves dans une classe, et mieux le professeur s'occupe de chacun d'eux. Ainsi, plus petit est le rapport enseignés-enseignant, et meilleure est l'éducation

Pourcentage du PNB consacré à l'éducation

États-Unis · Royaume-Uni · France · RFA · Pays-Bas · Inde · Australie · Pérou · Libye

| Finlande | 15 | Italie | 15 | URSS | 17 | RFA | 17 | États-Unis | 1 |

| Nouvelle-Zélande | 21 | Chine | 25 | Espagne | 27 | Indonésie | 29 | Égypte | 34 |

Rapport enseignés/enseignants

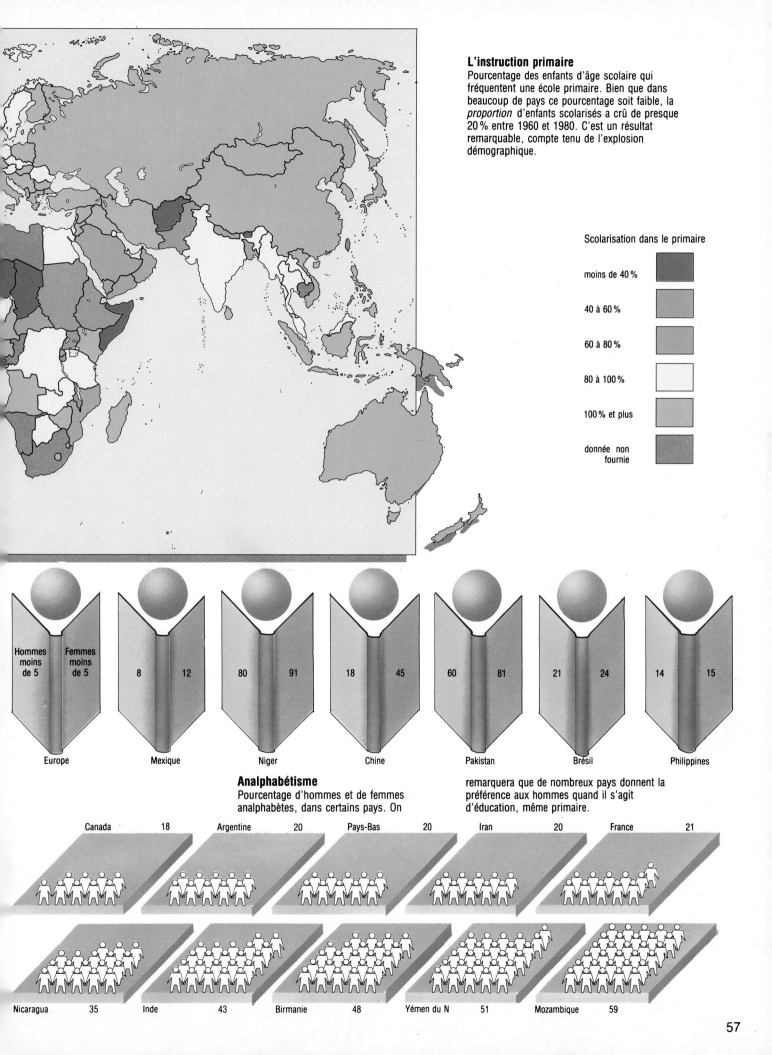

**L'instruction primaire**
Pourcentage des enfants d'âge scolaire qui fréquentent une école primaire. Bien que dans beaucoup de pays ce pourcentage soit faible, la *proportion* d'enfants scolarisés a crû de presque 20 % entre 1960 et 1980. C'est un résultat remarquable, compte tenu de l'explosion démographique.

Scolarisation dans le primaire

moins de 40 %

40 à 60 %

60 à 80 %

80 à 100 %

100 % et plus

donnée non fournie

| Europe | Mexique | Niger | Chine | Pakistan | Brésil | Philippines |
|---|---|---|---|---|---|---|
| Hommes moins de 5 / Femmes moins de 5 | 8 / 12 | 80 / 91 | 18 / 45 | 60 / 81 | 21 / 24 | 14 / 15 |

**Analphabétisme**
Pourcentage d'hommes et de femmes analphabètes, dans certains pays. On remarquera que de nombreux pays donnent la préférence aux hommes quand il s'agit d'éducation, même primaire.

| Canada 18 | Argentine 20 | Pays-Bas 20 | Iran 20 | France 21 |
|---|---|---|---|---|

| Nicaragua 35 | Inde 43 | Birmanie 48 | Yémen du N 51 | Mozambique 59 |
|---|---|---|---|---|

57

# 27 Gouvernement

Le gouvernement dirige la Nation. Dans nos pays, il est « démocratiquement élu », ce qui signifie que tous les citoyens majeurs peuvent voter pour les candidats de leur choix présentés par un certain nombre de partis. Le parti majoritaire forme le gouvernement, et dirige le pays jusqu'aux élections suivantes.

Il n'y a pas de système parfait, mais en Occident et quelques autres pays, on s'accorde à penser que c'est là le meilleur jamais inventé. On est libre de penser et dire ce que l'on veut, même contre le pouvoir. Cette liberté est protégée par les lois. La plupart du temps, mais pas toujours, ce système fonctionne bien.

De nombreux autres pays ont adopté un sytème différent (voir la carte). Dans les pays communistes, les citoyens votent, mais les candidats appartiennent généralement à un seul parti. Le gouvernement reste ainsi toujours aux mains d'un parti unique. Dans de tels États, la « liberté de parole » reste limitée.

En Afrique du Sud, le pays est dirigée par une minorité blanche qui élit son gouvernement. Dans de nombreux pays africains à l'indépendance récente (voir NATIONS), des factions luttent pour la conquête du pouvoir (voir la carte ci-dessous et la carte principale).

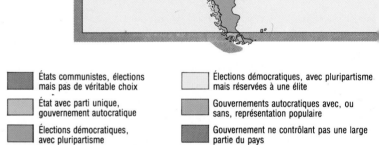

| | |
|---|---|
| ■ États communistes, élections mais pas de véritable choix | □ Élections démocratiques, avec pluripartisme mais réservées à une élite |
| ▨ État avec parti unique, gouvernement autocratique | ▨ Gouvernements autocratiques avec, ou sans, représentation populaire |
| ▨ Élections démocratiques, avec pluripartisme | ■ Gouvernement ne contrôlant pas une large partie du pays |

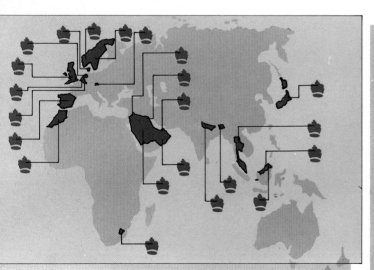

### Les monarchies
Un monarque est un homme ou une femme qui exerce l'autorité suprême et porte le titre de roi, reine, empereur ou sultan. Si les rois et reines européens n'ont plus guère de pouvoirs, dans un pays comme l'Arabie Saoudite, le roi gouverne effectivement.

### Les gouvernements instables
Pays dont le gouvernement a été renversé par la force dans les années 1980. En comparant avec la carte principale dans NATIONS, on constate qu'il s'agit surtout de pays devenus indépendants depuis la dernière guerre.

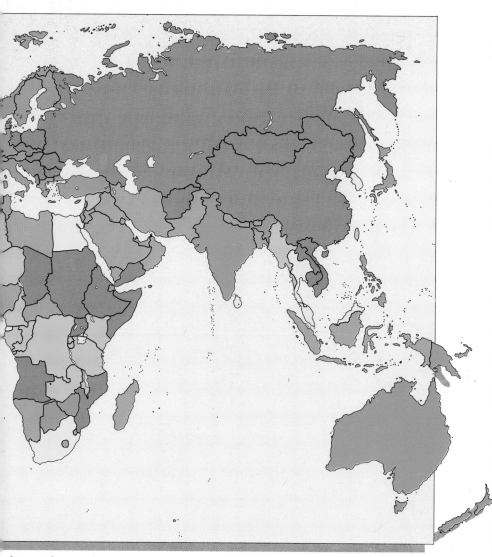

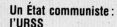

## Un État communiste : l'URSS

Le parti communiste dirige l'Union soviétique depuis 1917. Comme il n'y a pas d'autres partis autorisés, il est seul à pouvoir former un gouvernement.

## Un État démocratique : La Grande-Bretagne

Le Premier ministre, Margaret Thatcher, a été élue en 1987 contre trois partis d'opposition. Des élections doivent avoir lieu tous les cinq ans, mais le gouvernement peut à tout moment dissoudre la chambre.

## Un État dictatorial : le Chili

L'actuel chef de l'État, le général Pinochet, est arrivé au pouvoir en 1973 à la suite d'un coup d'État. L'opposition politique est réprimée. En octobre 1988, un plébiscite sur le maintien du général Pinochet au pouvoir donne une majorité de « non ».

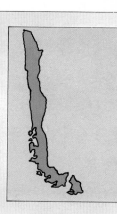

## Les systèmes de gouvernement au pouvoir

Bien qu'il n'y ait pas deux gouvernements exactement semblables, cette carte montre quelques types de régimes au pouvoir dans le monde. Ci-dessous quelques exemples illustrent chacun de ces régimes.

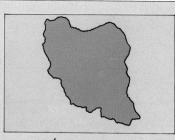

## Un État autocratique : l'Iran

L'Iran est actuellement dirigé par un chef religieux, l'Ayatollah Khomeyni, arrivé au pouvoir à la suite de la « Révolution islamique » de 1979 qui avait renversé le Shah, une sorte de monarque. Le gouvernement khomeyniste semble jouir d'un certain soutien populaire, même s'il est difficile de connaître les sentiments politiques des Iraniens.

## Gouvernement sans autorité : le Mozambique

Le Mozambique possède un gouvernement communiste, mais une grande partie du territoire est contrôlée par la guérilla qui lutte contre lui. Dans ce genre de situation de guerre civile, il est presque impossible de gouverner.

## Une démocratie oligarchique : le Mexique

Bien que le Mexique connaisse des élections régulières, le parti dominant, le Parti Révolutionnaire Institutionnel, n'en a pas perdu une seule depuis la mise en place de la Constitution en 1917. Les gouvernements ont souvent été accusés de fraude électorale.

# 28 Un monde en guerre

La guerre a tué plus de personnes depuis 1945 que pendant le dernier conflit mondial. Depuis une quarantaine d'années, il y a eu plus de cent guerres de par le monde. Celui-ci est actuellement dominé par deux « superpuissances », les États-Unis et l'Union soviétique, et si ces deux pays ne se sont jamais affrontés face à face, ils ont souvent été partie prenante dans les conflits opposant d'autres nations, en fournissant des armes, des conseillers et un soutien politique.

On dit souvent que la paix fragile qui règne entre les superpuissances est due à la crainte provoquée par la puissance effrayante des armements nucléaires que personne n'ose utiliser. Les deux Grands s'affrontent donc indirectement, souvent en soutenant des camps opposés dans les conflits du tiers monde.

Au nombre des conflits, on trouve les guerres entre nations, les conflits frontaliers, les guerres de libération nationale, et les guerres civiles. Ces dernières sont responsables d'un grand nombre de morts dans un passé récent au Nigeria et au Bangladesh (voir carte). Les guerres civiles et de libération ne dégénèrent pas toujours en conflits généralisés, et le terrorisme est un phénomène qui tend à se répandre largement. Un petit groupe de révolutionnaires ou d'indépendantistes peut provoquer d'importants dégâts et des troubles graves.

L'un des rôles des Nations unies (voir NATIONS) est de prévenir les conflits et les guerres, et les Forces de Sécurité sont souvent intervenues en maints points chauds du globe.

**Ceux qui dépensent beaucoup**
On voit ici les pays qui consacrent le plus d'argent en dépenses militaires par tête d'habitant. En chiffres absolus, les États-Unis et l'Union soviétique sont très loin en tête, avec tous deux plus de 200 milliards de dollars annuels. On peut néanmoins s'étonner qu'alors que les États-Unis dépensent 1 000 dollars par an pour protéger chacun de leurs citoyens, ceux-ci craignent souvent de s'aventurer la nuit dans les rues.

Budget de la défense de quelques pays (en milliards de dollars)

Inde    RDA    Italie    Arabie Saoudite    Japon    RFA    France    Royaume-U.    États-Unis    URSS

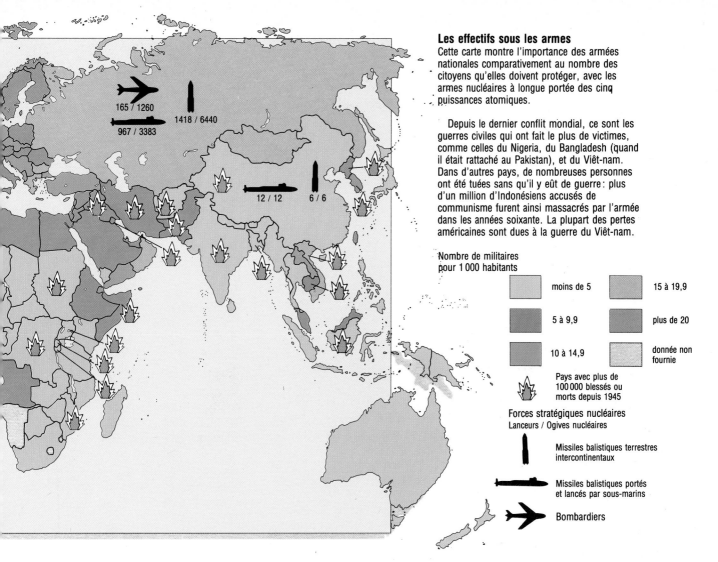

## Les effectifs sous les armes

Cette carte montre l'importance des armées nationales comparativement au nombre des citoyens qu'elles doivent protéger, avec les armes nucléaires à longue portée des cinq puissances atomiques.

Depuis le dernier conflit mondial, ce sont les guerres civiles qui ont fait le plus de victimes, comme celles du Nigeria, du Bangladesh (quand il était rattaché au Pakistan), et du Viêt-nam. Dans d'autres pays, de nombreuses personnes ont été tuées sans qu'il y eût de guerre : plus d'un million d'Indonésiens accusés de communisme furent ainsi massacrés par l'armée dans les années soixante. La plupart des pertes américaines sont dues à la guerre du Viêt-nam.

Nombre de militaires pour 1 000 habitants

| | |
|---|---|
| moins de 5 | 15 à 19,9 |
| 5 à 9,9 | plus de 20 |
| 10 à 14,9 | donnée non fournie |

Pays avec plus de 100 000 blessés ou morts depuis 1945

Forces stratégiques nucléaires
Lanceurs / Ogives nucléaires

Missiles balistiques terrestres intercontinentaux

Missiles balistiques portés et lancés par sous-marins

Bombardiers

## es forces en présence

orces comparées des armées de l'OTAN, du Pacte de Varsovie et de la Chine, qui possède l'armée la plus importante du monde après l'Union soviétique. Les troupes chinoises sont presque toutes stationnées à l'intérieur du territoire, alors que les États-Unis et l'Union soviétique ont de nombreux effectifs en Europe, zone stratégique essentielle entre les deux Grands.

## Lutte pour l'indépendance : le Sahara occidental

Beaucoup de nations africaines ont recouvré leur indépendance après de nombreuses années de colonisation européenne. L'une de celles qui lutte encore est le Sahara occidental. Cette région était aux mains des Espagnols jusqu'à leur retrait en 1975. En dépit de la reconnaissance par l'ONU de l'indépendance du Sahara occidental en 1976, le pays fut partagé entre la Mauritanie et le Maroc.

La Mauritanie s'est retirée trois ans plus tard, mais le Maroc occupe toujours le nord du pays. Le « Front Polisario » qui mène la guérilla est soutenu par son voisin algérien, mais les Marocains tiennent le nord pour pouvoir bénéficier de ses ressources minières (phosphates).

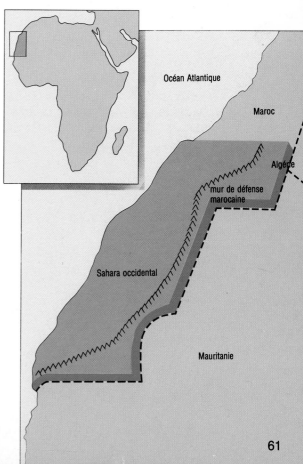

| | | | |
|---|---|---|---|
| Chine 3 m | | | |
| Pacte de Varsovie (URSS) 5,1 m | Pacte de Varsovie (Europe) 1,3 m | OTAN (Europe) 3,4 m | OTAN (États-Unis) 2,1 m |

# Index

Loi n° 49-956 du 16 juillet 1949
sur les publications destinées à la jeunesse
Imprimé sur les presses de Salingraf, S.A.L.
Dépôt légal n° 1703-06-89
Édition 01 - Collection 57
29/0986/9      ISBN 2.01.014469-4
*Imprimé en Espagne*